毎日の英単語
日常頻出語の90％をマスターする

James M. Vardaman

朝日新聞出版

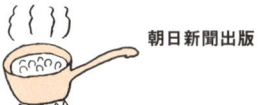

本書の朗読音声 ⟩) は、
下記 URL から自由にダウンロードできます。

検索方法
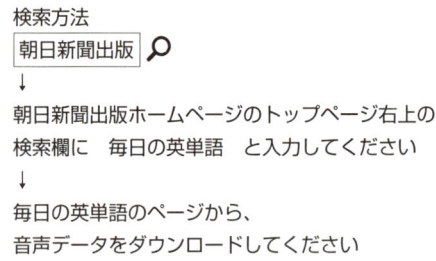
朝日新聞出版
↓
朝日新聞出版ホームページのトップページ右上の
検索欄に　毎日の英単語　と入力してください
↓
毎日の英単語のページから、
音声データをダウンロードしてください

URL：
http://publications.asahi.com/ecs/
detail/?item_id=15193

＊音声ダウンロードは、パソコン回線での
ダウンロードを基本としています。
スマートフォンなどでダウンロードできない場合は、
パソコンで行ってください。

編集協力　澤田純子
録音協力　英語教育協議会（ELEC）
　　　　　Howard Colefield 米
イラスト　齋藤太郎

毎日の英単語

日常頻出語の90%をマスターする

もくじ

本書の効用 ……………………………………………………… 07

ほんとうに英語を使いたい方へ ……………………………… 17

トレーニングメニュー ………………………………………… 27

毎日のトレーニング …………………………………………… 33

01	日常生活	34
02	食	42
03	お金	52
04	買いもの	56
05	交通・乗りもの	58
06	車・道	62
07	タイミング	68
08	スポーツ・レジャー	74
09	男女	78
10	旅行	80
11	仕事	86
12	オフィスで	94
13	宗教	102
14	政治	104
15	社会	110
16	病気・医療	116
17	身体	122
18	自然・天気	126
19	科学	132
20	学校	138

21	大学	144
22	服	150
23	パーティー・イベント	156
24	家のあれこれ	158
25	動物・農業（らく農）	164
26	場所の表現	170
27	意思	176
28	感情	178
29	動作・行動	186
30	性格・態度	198
31	人生	204
32	家族・友人	208
33	定型表現	212
34	いろいろな名詞	218

大切な基本動詞

大切な基本動詞 01	call	40
大切な基本動詞 02	make	50
大切な基本動詞 03	show	54
大切な基本動詞 04	pick	60
大切な基本動詞 05	think	66
大切な基本動詞 06	look	66
大切な基本動詞 07	give	72
大切な基本動詞 08	wear	72
大切な基本動詞 09	go	84
大切な基本動詞 10	walk	84
大切な基本動詞 11	pay	98
大切な基本動詞 12	work	100
大切な基本動詞 13	throw	100
大切な基本動詞 14	keep	108
大切な基本動詞 15	put	136
大切な基本動詞 16	back	136

大切な基本動詞 17 stand		148
大切な基本動詞 18 take		148
大切な基本動詞 19 get		154
大切な基本動詞 20 do		174
大切な基本動詞 21 set		174
大切な基本動詞 22 watch		174
大切な基本動詞 23 come		182
大切な基本動詞 24 run		184
大切な基本動詞 25 play		184
大切な基本動詞 26 talk		210
大切な基本動詞 27 turn		210

本書の効用

岡倉天心の機智

外国語学習者は、いったいどれほどの語彙を身に付ければいいのでしょうか。

今から100年以上前、『茶の本』を著したことであまりにも有名な岡倉天心は、ボストンの町を闊歩し、確たる矜持と知性、そして堂々たる英語力でアメリカ人と渡り合っていました。
その弟子の横山大観が伝えた話に、次のようなエピソードがあります。
岡倉天心が弟子の面々とボストンの街を歩いていた折、一人の若者に次のような言葉をかけられました。

"What sort of 'nese are you people? Are you Chinese, or Japanese, or Javanese?"
「あなたたちは何ニーズだ？ チャイニーズか、ジャパニーズか、それともジャワニーズか？」

これは、明らかにアジアへの偏見に満ちた侮蔑的な発言です。
その時、天心は何と応じたか。

"We are Japanese gentlemen. But what kind of 'key are you? Are you a Yankee, or a donkey, or a monkey?"

「私たちは日本人紳士だ。ところで、あなたは何キーですか？ ヤンキーか、ドンキー（ロバ、まぬけ）か、それともモンキーか？」

(参考:『英語達人列伝』齋藤兆史)

　まさに当意即妙。胸のすくような話です。アメリカ生まれの私でもスッとします。

　英語でこのような返答ができる人物が、今の日本にどれほどいるでしょうか。天心が、英語による抑えた筆致で、日本のわびさびを考察した『茶の本』を著すことができたのも宜なることです。

　実はこの話、場所がボストンだったこともポイントです。

　"Yankee" という言葉は、もともと、アメリカに渡ったイギリス人がニュー・イングランド地方に住む愚直な人々のことを表現するために使っていました。その後、独立戦争の歌 "Yankee Doodle" の中で使われ、イギリスが敗北した後に、転じて、ニュー・イングランドを含む「最北部」出身の人たちが、自尊心の表現として自らを指して "Yankee" と使い始めたのが成り立ちです。

　おそらく天心は、"Yankee" という言葉の成り立ちまで理解した上で、とっさに言葉遊びの素材として用い、見事な一本を取ったのです。

　1世紀以上前の、異国での、異国語についての話です。その知識と語彙たるや、常人の及ぶべきところではありません。現代に照らして考えても、惚れ惚れするような知性です。

　閑話休題。もちろん、ここまでの外国語を使いこなすことは、われわれ普通の人間にはとても困難です。私も、自分の日本語力では名文など書けませんし、日本語で、「売り言葉」に対する絶妙な「買

い言葉」を発することもできません。

　天心の語彙力はそれ以上だったかもしれませんが、知的な英語ネイティブの語彙は、15000語〜20000語ほどだと言われています。通常は、10000語で大学講義のテキストが99％以上わかるレベルです。そして、一般的に、この10000語レベルが第2外国語習得者の目標到達点と言われています。

　しかしながら、初級・中級の英語学習者にとって、いきなり5000語、10000語を目指すことは大変困難であり、とても非効率です。

　では、どのような単語を、何語覚える必要があるのでしょうか。

どの単語から
何語覚えるのが効果的か？

　どのような単語を、何語覚える必要があるか？
　結論からお伝えします。
　本書で扱う約2000語からマスターしてください。**本書がカバーしている2000語をマスターすれば、英語ネイティブの日常会話のほぼ90％を身に付けたことになります。**

　本書の2000語は、ネイティブの日常会話に使われる単語の頻度を優先して厳選しました。日常会話の90％に加え、普通に目にする書き言葉の84％もカバー。フィクション小説の85％、雑誌などの一般的な記事の81％、新聞の80％、学術的な記述の76％の単語を理解できることになります。

　また、The Longman Dictionary of Contemporary English や The COBUILD Dictionary などの「英英辞典」を活用できるようにもなります。

高い目標をお持ちの方は、到達点とされる5000語や10000語という上を見て、焦る気持ちがあるかもしれませんが、まずは核となるべきこの基礎単語を、「使える英単語」としてマスターすることが重要です。

　リストの中に、覚えなくてよい単語は1語もありません。まずはご自分の英語の核となる「使える英単語」を身に付け、しっかりした礎(いしずえ)を築きましょう。

「使える英単語」とは何か？

　「英単語」と「使える英単語」とはどう違うか？
　よく、英語学習者から「単語をあまり知らないから、英語ができない」という言葉を聞きます。しかし、これは適当ではありません。**多くの学習者が英語ができない理由は、英単語を知らないからではなく、使えるような形で単語を覚えておらず、使えるようなトレーニングをしていないからです。**

　単語は知っているけれど、「使えるレベルの単語」としては身に付けていないから、英語ができないのです。具体的に言うと、単語は「その日本語訳を知っている」というレベルでは使えません。それは、単なる知識です。

　たとえば、「book ＝ 本」と日本語訳だけを覚えるのではなく、「buy a scientific book ＝ 科学の本を買う」「book an express ticket ＝ 特急券を予約する」というような、その一単語だけではなく前後含めた、ネイティブがよく使う形でマスターする必要があります。さらに、「特急券を予約する」という日本語から「book an express ticket」という表現が出てくるようになって、はじめて「使

える英単語」と言えるのです。

本書の 2000 語を
侮るなかれ

　日本の中学・高校で学習する英単語は、文部科学省の学習指導要領で 2200 語となっていました（2013 年に実施された現行の学習指導要領は 3000 語となりました）。つまり、本書を手にとられている社会人や大学生の皆さんは、高校までの 6 年間で、2200 語の単語を習得していることになります（a, the, I, am, this などの超基本単語も含めた語数です）。

　この単語の数だけ見ると、本書がカバーしている単語数とさほど変わりありません。しかしながら、本書をパラパラとめくってみると、知らなかった単語やあやふやな単語表現が、ポツポツ見つかるのではないでしょうか。

　その理由は 2 つだと思います。

① 欧米での頻度順を根拠として
　リストアップしているため

② 単語単独でなく、
　前後の表現まで含めて提示しているため

　特に②は、本書が間違いなく、日本人学習者に一番足りないトレーニング用テキストだからです。

たとえば、「歯を磨く」と言いたいとき、「歯 = teeth」「磨く = brush」という単語を知っていても、brush my teeth という表現でマスターしていなければ、口に出すことは難しいでしょう。teeth に brush という単語を組み合わせることは可能なのか？　その場合、どのようにつなげるのか？　そこまで身に付けていないと、とっさに口には出せません。「予定を調整する」と言いたいとき、「調整する = arrange」「予定 = schedule」という単語をバラバラに知っていても、arrange a schedule という表現は出てきません。

　本書収録の単語リストは、英単語を欧米で実際に使われている頻度順で示した *West's General Service List* や *Bank of English* などのコーパスを分析し、その 1 ～ 2000 位までの語を収録しました。

　ただし、1 ～ 1000 位の語はほとんどが超基本単語です。ですから、そのうち、日本の学生にも定着している語はカットしました。そして、ネイティブには高頻度にもかかわらず日本人が知らない単語を積極的に取り入れました。

　さらに、*Academic Word List (AWL)* からは高校・大学・新聞などで特によく使う 570 語、*University Word List (UWL)* からは 808 語のリスト（concept, illustrate, assess などの言葉で、学術的なテキストの 8.5% をカバー）のうち、上記の 2000 位までに入っていなかった単語を加えました。

　つまり、本書では「日常会話＋最低限の概念語（学術語）」という、英語学習の核とするにふさわしい約 2000 語のパッケージを、751 のクラスター（フレーズ）に圧縮しました。
この 751 のクラスターで、日常会話の 90％をカバーする単語を「使える頻出形」でマスターできます。
　無駄なクラスターは一つもありません。
　ご安心して、英語学習の核を固めてください。

マスターするための方法①
クラスターの活用

　本書では、751の英語表現のそれぞれを「クラスター :cluster」と呼んでいます。clusterとは「房、集団、群れ」を指します。本書のクラスターには、覚えるべき頻出語が最低1語入っています。

　前述の通り、英単語は1語だけで覚えても使えないということに加えて、1語だけでは覚えにくいという欠点があります。

　記憶は、覚えるべきものに「関連付け」が多いほど覚えやすいものです。語彙を覚える際も関連付けが大切。「記憶のフック」は多ければ多いほど良いのです。ですから、1語のみよりも、より意味を持ち得るクラスターの単位のほうが記憶に残ります。

　その際、クラスターは、7語（プラスマイナス2語）までが覚えやすいことが、科学的に証明されています。心理学者のGeorge Millerは、"cluster of 7"と言っています。

　また、クラスター単位で覚えることは、生産的な言葉の使い方を身に付けることができ、結果的にとても良い効率で英単語をマスターできます。

［クラスターの良い点］
・バラバラの意味のないことを覚えるフラストレーションを軽減する
・英語らしいセンスを磨くことができる
・実際に頻出する場面で使われる言葉なので、とても覚えやすい
・分割されず、全体として覚えることができる

また、「記憶のフック」を増やすため、なるべく各項目を「場面」で分けました。「名詞」「動詞」「形容詞」「副詞」……など品詞別に分類する方法は、単語を効果的に覚えるのには適しません。

　場面はゆるやかなテーマでくくるのが覚えやすいとされています。

　(※頻出語を751のクラスターに圧縮しておりますので、そこまで厳密に場面分けができているわけではありません。項目分けは、あくまで記憶の補助とするためのものですので、多少無理があるものもあります。その点はご了承いただけましたら幸甚です)

　また、本書では、それぞれのクラスターについて最低限の解説をつけました。イメージをふくらませながら理解して、これも「記憶のフック」としましょう。

マスターするための方法②
Review：復習は金

　英語学習が成功するかどうかの鍵は、Review(復習)が握っています。

　ごく一部の天才は別ですが、私を含め普通の学習者は、「音読」と「暗唱」を中心とした復習トレーニングを繰り返すことによって語学を身に付けることができます。

　私は日本語を覚えるときに、毎日2時間、音読と暗唱を続けました。その効用は科学的にも証明されています。詳細については、前著の『毎日の英文法』に詳述しました。

　Review(復習)を繰り返すことによって、速度が上がり、fluencyが上がり、どんどん流暢になります。悪いことは一つもあ

りません。

弊社HPに『毎日の英文法』の日本語テキスト全文をアップしましたので、よろしければご参照ください。検索エンジンで「朝日新聞出版」を検索し、→弊社HPトップの右上に「毎日の英単語」と入力ください。音声ダウンロードと一緒に掲載いたします。

また、復習の効果についても、科学的に証明されています。

記憶について有名な「エビンハウス (Ebbinghaus) の忘却曲線」と呼ばれるものがあります。

「学習後、直後に想起すれば100%覚えているが、20分後で58.2%、1時間後で44.2%、1日後には33.7%、6日後には25.4%、1カ月後になると21.1%しか覚えていない」というものです。

ところが、「分配学習:distributed learning」「間隔学習:Spaced repetition」をすると効果があることがわかっています。たとえば、15分学習するにしても、15分まとめてやるよりも、「①3分、②数時間後に3分、③1日後に3分、④2日後に3分、⑤1週間後に3分」と間隔を空けて分配して学習したほうが、抜群に効果があるのです。

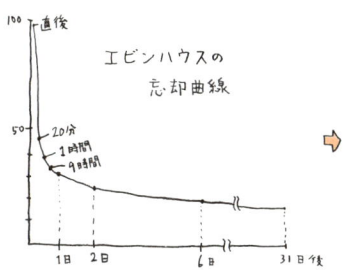

通勤通学の細切れ時間や、「寝る前の 15 分」など、無理なく習慣づけられる時間を作ることが上達のコツです。
　そして、学習の時間としては、午前中か眠る直前が良いこともわかっています。午前中は、脳が一番活性化している時期ですから効果が上がります。学習後すぐに睡眠すると、脳は寝ている間に勝手に「刷り込み学習」をしてくれるので、睡眠前も効果的です。
　赤ちゃんや動物でも、何かを学習した直後はちゃんと覚えています。それを「短期記憶」または「ワーキングメモリ」と言いますが、その「短期記憶」を復習トレーニングによって強化し、いかに「長期記憶」に移行させるかが語学習得の鍵となります。

　「全部一気にマスターしよう！」とオーバーラーニングをすると、1 週目は記憶によく残りますが、復習せずにいると、まさに「一夜漬け」の人と同じレベルまで落ちてしまいます。
　せっかく学習したことを、1 日や 1 週間足らずで忘れてはもったいないです。本当に「使える英語」を身に付けたいのであれば、継続できる学習プランを立てましょう。プランがどんなものであれ、継続している人が最後に成し遂げることができます。
　どんなに高い建物でも、基礎工事がしっかりとしていなければ上層階を支えられません。反対に、基礎工事さえ堅固につくっておけば、いくらでも上に、上に、積み重ねることができます。頻出の「使える英単語」を核として、あとはご自分に必要な分野、好きな分野の単語を補強していけば良いのです。

　「小さいことを重ねることが、とんでもないところに行くただ 1 つの道だ」
　大リーグで活躍するイチロー選手の言葉です。

ほんとうに英語を使いたい方へ

なぜ
英語を学習するのか？

　前置きが長くなって申し訳ありませんが、私が学習者にどうしても伝えたいメッセージがあります。

　早くトレーニングを始めたい方は、この部分は飛ばして33ページに進んでください。そして、万一、学習を途中でやめてしまいそうになったときにでも読んでみてください。

　言葉は、伝えたいことがあってはじめて生きます。

　「言葉を覚えて→話したいことを見つける」のではなく、伝えたいことがあるから言葉を使うのです。ところが、日本の多くの英語学習者は順番が違うのではないかと感じています。

　大学生に限らず、中学時代から何年間、何百時間勉強しても、なかなか「使える英語」を身に付けることができないのは、ただ、辞書を引いたり、「英文法の理論」の勉強をしたりしながら、ただなんとなく英語に接しているだけで、切実に、腹の底から英語を必要としていないからではないでしょうか。

　ほんとうに英語を学ぶ上で大切なことは、英語（外国語）の上達を目標にするのではなく、英語（外国語）を使って何をやりたいのか、自分の意思を明確にすることです。

> ・自分は、英語で何をしたいのか
> ・どのような英語力を、なぜ身に付けたいのか

の2点をはっきりとさせて、目的、目標をしっかり持って学習を開始しましょう。

　米 Google の副社長、Google 日本法人社長を歴任していた村上憲郎氏は、
「英語は自転車。グローバル社会を走り回るための手段であり、道具である」
「私たちにとって、英語は十分条件ではありません。必要条件です。英語ができても出世はできませんが、英語ができないと出世はできません」
とおっしゃっています。
　英語は必要だけど、それだけではダメ。「英語を使って、その上で何ができるか」、あるいは、「自分は何ができ、何をしたいのか。そのためのコミュニケーション手段として英語が必要なら、当然、英語を使って」ということではないかと思います。
　英語に取り組むならば、それくらいの心構えで始めていただきたいと思います。

「英語の知識」を「使える英語」に磨きなおす

　日本の方は、中学・高校、そして大学と座学で英語の勉強をします。

その多くは、中学校では「いい高校に進むため」、高校では「いい大学に進むため」、大学では「行きたい会社に入るため」に勉強しています。「教科の一つ」として英語に取り組んできたのです。
　極論すれば、「テストの点数が良ければいい」という話です。その英語の試験も、これまでほとんどが筆記で行われてきました。近年、リスニングテストもさかんに導入され始めましたが、入学試験や入社試験にスピーキングテストや、ライティングテストを課しているところはまだまだ少数です。
　実際に英語でコミュニケーションをとるとき、「読解」や「机上の文法」だけでは、意思の疎通はおぼつきません。残念ながら不充分です。これまでの学校英語は、「使える英語」すなわち実際にコミュニケートするための学習をしていなかったということです。
　「英語のテストのための英語の勉強」……。それでは、「使える英語」を身に付けることはできません。**すでに学校で学習した「英語の知識」があるのであれば、その「英語の知識」を「使える英語」に磨きなおす必要があるのです。**

　英語は言葉です。本気で英語を使いこなしたいならば、読むだけではなく、実際に聴いて、口に出して、自ら発話するトレーニングをしなければ、いつまでも使えるようにはなりません。
　ネイティブの子どもは、おおよそ1年につき1000語ほどのペースで、5000語ほど耳から言葉を覚えます。テキストのみで覚えるのではありません。耳を使って、口で真似て、言葉を覚えていくのです。「大人だから、テキストを読んで覚えれば言葉を身に付けられる」なんていうことは絶対にありません。吸収力の高い子どもですら時間がかかるのです、大人はなおさら、五感を使ってトレーニングしなければなりません。
　日本の学校教育英語をすべて否定するわけではありませんが、テストで高い点数を取得するためではなく、コミュニケーションをす

るための英語をほんとうに身に付けたいならば、そのためのトレーニングが必要です。

そして、そのようなトレーニングをすることによって、結果的にテストの点数も飛躍的に伸びると確信しています。

リスニングができるということは速読力がついているということですし、発話ができるということは、文法力がつき、英作文ができるようになっているということです。

何を
音読、暗唱するか

トレーニングの方法は、五感を使う音読と暗唱が王道です。音読・暗唱について、やや長くなりますが、元外交官で、並外れた情報収集能力と分析力を武器に常に第一線の論考を発信し続けている佐藤優氏の記事から引用してご紹介します。外国語習得（佐藤氏の場合はロシア語）についての文章です。

東京でロシア語の勉強を継続する方策をいくつか試みた。最終的に……モスクワのバウマン工科大学（理科系ではモスクワ国立大学より評価が高い）出身の男性教師からロシア語を学ぶ機会を得た。

1回の授業は2時間であり、コンピュータ翻訳の基礎になるロシア語文法書の読解を1時間行い、日本語の新聞をその場で口頭にてロシア語へ訳す訓練をする。さらに毎回宿題が出る。**ロシア語の新聞記事を暗唱することだ**。分量は最低でも社説1本。完全な丸暗記ではなく、日本語訳を作成し、それをときどき参照するのは認められる。この先生によると「ソ連時代、ロシア人が外国語を研修するために、国外留学することはできなかった。だから外国語学

習はソ連国内で完成するシステムになっていた。そこで重視されていたのが新聞で、新聞の1ページを完全に暗唱し、復元するという訓練を繰り返した」ということだが、確かにこの方法は効果がある。

2時間のロシア語の授業のために、10時間くらい予習と復習の時間が必要となる。

『週刊 東洋経済』（2013年6月13日）より
＊太字は筆者による

ここで、佐藤氏が、「実際の記事を暗唱する学習をしている」という点に注目します。

1点は、やはり「音読」「暗唱」のトレーニングをしていること。しかも、（「外国語を用いて記事を作成する新聞記者レベル」を目指すような実力を持った彼が）10時間もの予習復習が必要だと言っています。目標レベルが違うとはいえ、すさまじい覚悟が伝わります。

またもう1点。新聞の記事を教材としている点です。外国語学習は、最終的に生の言語でそのネイティブとコミュニケートすることが目的ですから、少なくとも「book＝本」式のバラバラの単語の知識としてではなく、その単語が実際に使われている形に近い英語で学習しなければなりません。

日本の書店に汗牛充棟のごとく並ぶ「英単語本」は、ある意味で「学習者に優しすぎる」ものも多いと思います。本当に使える英語を身に付けさせたいのであれば、内容は実際に単語が使われている形であるべきです。高度に加工され、日本語の解説や、品詞記号だらけのテキストを見ると、「勉強した気分」にはなれるかもしませんが、「トレーニングできているか」といえば疑問が残ります。

むしろ、シンプルでもいいので、生きた英語を大切にしているテキストが良いと思います。

そうは言っても、いきなり本物のニューヨークタイムズの社説を

暗唱するには無理があります。

日常のコミュニケーションをとるための語彙を身に付けるには、普段使われる単語を頻度順に、頻度が最も高いクラスターで覚えるのが最も効果的です。

本書はそのような考えに基づいて設計してあります。

日本語と
日本を学ぶ

私がとても尊敬する先生の一人に、「源氏物語」「方丈記」など、日本の古典を次々と英訳し、海外に日本文化を広めることに多大なるご貢献をされたドナルド・キーン博士がいらっしゃいます。キーン先生は、現在日本に住んでいます。

東日本大震災後、被災地の人々の姿に「この人たちと共に生き、共に死にたい」と日本国籍の取得をして日本永住を決意され、翌2012年に晴れて日本人となられました。

現在も石川啄木について研究、執筆を進めておられるなど、90歳を越えてなお旺盛です。そのキーン先生から学生たちに向けた「真のグローバル」についての言葉には重みがありました。

日本人の言うグローバル化には外国語を話せるといった要素が含まれています。しかしいざ海外に出ても外国人と付き合わず、日本人同士で集まる傾向が強い。これではどんなに外国語を理解し、あるいは英国王室の歴史を知っていたとしてもグローバルではありません。外国人も同じ人間だという簡単なことを覚える方が先ですね。そしてもっと日本文化を知ることです。自分の国の文化を知らない人は味がないと言うか、国籍のない人間のように思います。海外に

は歌舞伎など日本の文化に興味を持っている人が多くいて、そうした人と話すときに自分の国のことを知らなければ相手から軽んじられるでしょう。
……

日本文学者として述べるならば、まずは自分の国の文化を学び、自身の基礎となる知識を築くべきでしょう。その上に世界の文化を積み重ねていけば良いのです。それが本当の意味でのグローバル化だと思います。

私もまったく同感です。人とコミュニケーションをするのに、一番大切なことは、伝えるべき内容とこころです。

1971年、私がはじめて日本に来たとき、もっとも退屈に感じた会話は、日本の英語教師との会話でした（もちろん、知的ですばらしい先生もいらっしゃいましたが）。なぜなら、彼らの多くは、「英語」を話したがるからです。たとえば、自分が知っている英語の諺を使いたがりました。"That's water under the bridge."（覆水盆に帰らず）や "You can't have your cake and eat it too."（二兎を追うものは一兎をも得ず）など、毎回、喜色満面で話しかけてきます。

私が聞きたかったのは、日本の人たちが、どのような考えを持っていて、どんな習慣で生きているのか、でした。私が話し合いたかったのは、アメリカにはどんなモノがあってどんな習慣があり、日本人とはどのように違うのか、あるいは同じなのかでした。

実際、日本から英語圏に留学して帰ってきた学生が口を揃えて言うことは、2つあります。

1つは、もっと語彙を勉強して、リスニングと発話のトレーニングをしていけばよかった、ということ。

もう1つは、日本の文化や慣習について、もっと深く知っておけばよかった、ということです。

「お寺と神社はどう違うのか」「日本の観るべき場所はどこか」「日

本にはどんな祭りがあるのか」「その由来は何か」、次々と質問されて、日本語でも答えることができない自分に気がついて愕然とすると言うのです。

　私も、日本に来たばかりのころは、仏教や剣道、江戸文化、手ぬぐい、絵馬など、日本特有の事物に憑かれたように興味を持ったのを覚えています。もしかしたら、その特定の分野については、9割の日本人よりも、よく知っていたと思います。そのときに話しておもしろかったのは、当たり前ですが「英語ができるけれど、手ぬぐいのことを知らない人」よりも「英語はできないけれど、手ぬぐい文化を説明できる人」でした。

　基本的なコミュニケーションは、最低限の内容で意思の交換ができますが、つまるところ、コミュニケーションの肝は、語るべき内容なのです。

　よく「人に教えると勉強になる」と言いますが、少なくとも、自分が日本の文化や習慣を日本語で人に説明できるのかどうか、できないならば、そこから学習していくことが「グローバル化」の第一歩であり、英語を学ぶ上での必要条件ではないかと思います。

　最後に、NHKの英語講座で長年講師を勤め、同時通訳の神様と呼ばれた國弘正雄先生の言葉をご紹介します。國弘先生も、常々「よしんば英語ができたとしても、語るべき内容を持っていなければ意味がない」と言っておられました。英語学習を志す読者に向けた言葉に、共感するものがありましたので、少し長いですがご紹介させていただきます。

　次の文は『英会話　ぜったい　音読　挑戦編』(講談社)のなかで述べられたもので、国学者の本居宣長が説いた「ことば・こと・こころ」の三位一体説（さんみいったい）が、英語習得を目指す読者にも当てはまると記されたものです。

三位一体説を最初に言い出したのは、今からちょうど200年前に身罷(みまか)った国学者の本居宣長でして、年来、小生は英語教育など外国語教育について援用してきました。本居はむろん国学、とくに『古事記』について、「ことば・こと・こころ」の密接不可分性を説いたので、英語やオランダ語についてではありません。あの人は妙な国粋主義者で、中国やインドなど当時の外国を「漢心(からごころ)」などと排他的に貶(おと)める、かなり偏狭な文化的ナショナリストだったのです。でもそれはそれ、これはこれで、彼の「ことば・こと・こころ」の三位一体説は皆さんのような英語習得を目指しておられる方々にもみごとに当てはまるものです。

　つまり、事実、事物、概念、事柄、数字などなどの意味での「こと」への理解や習熟は、人間がことばを使い、ことばを活かしていく上に絶対必要です。ところがことばの学習に執心する人は、ややもすると、発音とか語法・用法には熱心でも、その背景にあってことばを活かしている「こと」については興味や関心が淡く、従って知識も薄いのです。

　アメリカ英語の区々たる用法とか音声的なものには人並みはずれた強い関心を抱きながらも、たとえばアメリカの政治や経済、人種・民族や地理・歴史などにはそれこそ芋の煮えたほどの興味も示さない、といった具合です。表面的な「ことば」だけでなく「ことば」を支え越えたところにも目を向ける。そうすることによって、「ことば」を真にわがものとしていただきたいのです。さもないと自由自在に「ことば」を駆使し縦横に対話をかわすことなど、できなくなってしまいます。

……

　一方、「こころ」とは、「ことば」を使って自己実現しようという熱烈な意志を指すとともに、それぞれの単語や表現がもっている連想というかニュアンスのようなものをも指しています。たとえば、りんごと apple とは、たとえ植物学的に同じものを指すとしても、

英語の apple には「一日一個のリンゴで医者いらず」という民間療法的なニュアンスがまつわりついていますし、ついでに、apple-pie という英語のアメリカ語法には「祖国」とか「愛国心」という連想がともなうのです。

　学生時代、新渡戸稲造の「われ、太平洋の架け橋たらん」という言葉に感銘を受け、自分は「架け橋の橋げた」にでもいいからなりたいと英語の猛勉強をし、教科書の音読を500回では足りないほど繰り返し、苦労して大学を出たのち、ハワイ大学に留学し、「同時通訳の神様」となり、ついには東アジアと日本の平和外交に多大な貢献をされた國弘先生のお言葉です。最後の apple の話などは、冒頭でご紹介した岡倉天心の "Yankee" が思い起こされましょう。

　國弘先生は、若い人をとても大切にし、常々「英語をやるなら日本語を修錬なさい。英語をやるなら中身を持ちなさい」と言っておられます。

　私も日本の英語教育の一端を担うものとして、この場を借りて、國弘先生のお言葉をご紹介させていただきました。

　皆さんが、内容のある国際人となり、日本と世界に貢献する人物となられることを心から願っております。

トレーニング・メニュー

Step 1 なんとなくイメージをつくる

　本書の単語は、全部で34項目に分類してあります。

　前述しましたが、この分類は、記憶する助けとなる「ゆるやかなイメージ」を喚起するためのもので、厳密な分類ではありません。約2000の頻出語を、751クラスターに、無駄なく詰め込むために、多少、意味の分類の仕方が偏っている部分もあります。

　各項目冒頭にもザッと目を通してイメージをつくり、その項目の学習効果を高めましょう。

Step 2 基礎トレーニング

①音声を聞きながら、その項目のクラスターを理解する

　意味のわからない英文を暗唱するよりも、意味がわかった英文を暗唱したほうが数段効果的です。ただし、日本語の意味を覚える必要はありません。日本語の訳は、理解の補助として使ってください。

　また、この時点で、一度右側の解説に目を通してください。記憶のフックは多いほど定着しやすくなります。

Step 1

Step 2-3

Step 2 基礎トレーニング

②音声を聞きながら、テキストを見て音読する（5回以上）

音声を聞きながら、その音声に自分の声をかぶせるように音読してください。テキストを見ながら音読しても構いません。項目（ご自分にとって多すぎる場合はページ区切り）を通して行います。

もし2、3回繰り返してもうまく音読できないクラスターがあったら、そのクラスターだけ繰り返し練習し、できるようになったら、再度通して音読しましょう。

目だけよりも、口も耳も使ったほうが、記憶のフックになります。

また、英語は言葉です。発話のトレーニングをしなければ、絶対に話せるようにはなりません。

5回が目安ですが、何度繰り返しても構いません。やればやっただけ自分の力になります。

③音声を聞き、顔を上げ、テキストを見ないで暗唱する（5回以上）

1クラスターごとに音声を聞き、聞き終わったら顔を上げ、テキストから目線を切って暗唱しましょう。再生プレーヤーの一時停止ボタンを使い、1クラスターごとに行いましょう。

暗唱は、「クラスターの意味」「単語の発音」「クラスターのイントネーション」とすべてマスターしていないとうまくできません。理解が不十分であったり、聞けない音があったり、テキストに頼っていたりすると、途中でひっかかったり、発音をあいまいに誤魔化してしまう箇所がでてきてしまったりします。トレーニングは自分のためにやるものです。あえて自分に厳しく行ってください。

完全に暗唱できてはじめてOKです。

妥協せず、繰り返し行ってください。

Step 3 Review（復習）トレーニング

①前回トレーニングした項目（ページ）の音声を聞き、音読する（3回以上）

①のトレーニングで音読と暗唱を繰り返しましょう。

記憶の定着には、短時間のトレーニングであっても、間を置いて何度も繰り返すことが効果的です。せっかくトレーニングしたものを、自分の血や肉として使いこなせる知識に昇華できるか否かは、復習トレーニングにかかっています。

長期記憶化しやすい
Review（復習）時期の目安

Round 1　　Start
Round 2　　1日後
Round 3　　2日後
Round 4　　4日後
Round 5　　8日後
Round 6　　16日後

②「赤いチェックシート」で単語の部分を覆い、日本語から単語を想起して音読する

すぐに単語が出てこなかったら、それは、まだ不確かな単語です。

何周目の Round になるかはわかりませんが、最後に、日本語だけを見て、すべてのクラスターが口から出るかどうかチェックします。
これが「使える英単語」のゴールです。このレベルに到達すれば、そのクラスターについては自分のものになったと言えるでしょう。
堂々とチェックシート□に印をつけてください。

ただ、念には念を入れて、後日、もう一度復習トレーニングをしましょう。その時点でも、テキストを全く見ずに暗唱できたら OK です。2つ目のチェックシート□に印をつけてください。
2つのチェックシート□□に印がついたら、卒業です！

本書のすべてのクラスターに印がついたら、コンプリートです。

あなたは、十分、日常会話ができるだけの語彙力が身に付いていることでしょう。

すべて印がついた本は、勲章にもなります。

これからの、本当の英語コミュニケーションの世界へ旅立つお守りとしてください。

朗読音声について

本書の朗読音声は、弊社のHPからダウンロードできます。

検索エンジンで「朝日新聞出版」を検索し、

→弊社HPトップの右上に「毎日の英単語」と入力ください。

「本書テキストを朗読したMP3ファイル」がダウンロードができるページに移行できます。

また、音声ダウンロードはパソコン回線でのダウンロードを基本としています。

スマートフォンなどでダウンロードできない場合は、パソコンで行ってください。

以上がトレーニングのすべてです。
　シンプルなことをコツコツ繰り返すことが王道であり、最終的に見違える実力をつけた自分に変身できる一番の方法です。

　テキストの右上には、日付けを書き込めるスペース（Round1~6）を付けました。トレーニングをやりきった日付を記入しておきましょう。
　それがご自身の「達成の記録」になります。何気ない記録だと思うかもしれませんが、この記録が、途中で投げ出しそうになったり、他の教材に浮気したくなったりする気持ちを戒め、自分を元気づけてくれるものとなります。
　ぜひ、「自分だけの達成の証」を完成させてください。

　34項目までひと通り終わったら、もう一度「01」に戻って、繰り返しましょう。
　「赤いチェックシート」で単語を見えない状態にしても、音読できますか？
　日本語の訳だけを見て英語が出てきますか？
せっかく自分のものになりかけているオールマイティな英語の材料（クラスター）を自在に操れるようになるかどうかは、しつこくトレーニングできるかどうかにかかっています。
　Round4（4周目）以降は、それぞれの習熟の度合に合わせて行ってください。Round3（3周目）でもう完璧！という方は、ご自分の好きなジャンル、得意なジャンルのテキストを読んで、身に付いていない単語をどんどん吸収していきましょう。できれば音声があるテキストが良いですが、楽しくできれば基本はなんでも構いません。
　本書で、「誰にでも必要で、かつ頻出の会話のための英単語」の90%（基礎部分）はカバーしましたから、あとは、その土台の上にどんどん「使える英語」を積み上げていくだけです。
　自分が面白いと思った英語や仕事で必要な英語を、縦横無尽に積み上

げていくことによって、英語の知性が磨かれます。

　本書で身に付いた単語についても、それで終わりではありません。take を例にとれば、その使い方や意味には、数多くのバリエーションがあります。本書で身に付けた単語が核になることは間違いありませんが、新しい使い方に出会ったら、貪欲に覚えて、厚みをつけていきましょう。take という言葉の前後にはどんな単語が使われているのか？　どんな言葉と相性が良いのか？　その意識をもって英語に接することが大切です。

　「今週は come という単語に気をつけて見てみよう」「来週は put という単語を補強しよう」というように広げていくのも一つの方法でしょう。

　「達成の記録」の欄は Round6（6周目）まで用意しました。Round2（2周目）、Round3（3周目）で自分に OK を出せなかったら、4周目、5周目、6周目……と納得の行くまで続けてください。本書で行うトレーニングは、絶対に裏切りません。

　語学は、良質な教材を使って、繰り返しトレーニングすることです。

　『毎日の英文法』『毎日の英単語』と繰り返しになりますが、本書には、無駄な英文は一つもありません。

　だまされたと思ってやっていただければ、必ず、結果が出ます。

James M Vardaman

毎日のトレーニング

"While without grammar very little can be conveyed,
without vocabulary nothing can be conveyed."
「文法なしではほとんど伝わらないが、
語彙がなければ全く伝わらない」
—— Dr. Keith S. Folse

01 日常生活

file - 01

日常生活には頻出単語がよく出てきますが、学校では教わらない表現が意外と多いです。「爪切り」は英語で何と言うでしょうか？

- ☐ flush the toilet　トイレの水を流す
- ☐ do the laundry　洗濯する
- ☐ fold *my* clothes　服をたたむ
- ☐ vacuum cleaner　掃除機
- ☐ nail clippers　爪切り

vacuum には、「電気掃除機で掃除する」のほか「真空」の意味も。

001　**7時に目が覚める**

wake up at 7:00

002　**夜12時まで起きている**

stay awake until midnight

003　**電気髭剃りで髭を剃る**

shave with an electric razor

004　**(自分の) 歯を磨く**

brush *my* teeth

005　**(自分の) 体重を量る**

weigh *myself*

006　**温かいお風呂に入る**

take a warm bath

007　**シャワーでさっぱりするでしょう。**

A shower will refresh *you*.

008　**予定を調整する**

arrange a schedule

Round 1	Round 2	Round 3	Round 4	Round 5	Round 6
Start	Review	Review	Review	Review	Review
月　　日	月　　日	月　　日	月　　日	月　　日	月　　日

brush my teeth　　wake up at 7

▶ wake は動詞で「目が覚める」。at ＋時刻で「〜時に」を表します。before noon（お昼前に）のような時間を表す語句も wake up とともに使います。なお、wake up の反意語は動詞 go to sleep（眠る）です。

▶ stay は動詞で「…のままでいる（ある）」。awake は形容詞で「目が覚めて、眠らずに」。反意語は形容詞の asleep（眠っている）。midnight は名詞で「0 時」。

▶ shave は動詞で「髭（毛）を剃る」。electric razor で「電気髭剃り」という意味です。electric は形容詞で「電気の、電気で動く」。electric toaster（電気トースター）のように使います。

▶ brush は動詞で「〜を磨く」。teeth は名詞 tooth（歯）の複数形。brush を使った表現に、brush one's shoes [coat]（靴を磨く［コートのほこりをはらう］）があります。

▶ weigh は動詞で「〜の重さを量る」。weigh meat（肉の重さを量る）のように使います。「体重」は body weight で表すことができますが、weigh を使って「体重を量る」ことを表す場合は、後ろに oneself を置きます。

▶ warm は形容詞で「温かい、暖かい」。bath は名詞で「入浴、浴室」。「お風呂に入る」を表すときに使う動詞は take であることに注意しましょう。「シャワーを浴びる」ことを英語で表すと、take a shower となります。

▶ shower は名詞で「シャワー」。refresh は動詞で「〜の気分を爽やかにする」。直訳をすると、「シャワーがあなたの気分を爽やかにするでしょう。」という意味になります。

▶ arrange は動詞で「〜をきちんと並べる、整える」。arrange a meeting（会議の日程調整をする）のように使います。schedule は名詞で「予定」。カタカナで「スケジュール」と日本語にもなっています。

01 日常生活

009 すぐに寝入る
fall asleep immediately

010 急ぐ
make haste

011 猫をペットとして飼う
keep a cat as a pet

012 留守番をしてばかりいる
tend to stay at home

013 家を徹底的にきれいにする
clean a house thoroughly

014 植物に水をやる
water the plants

015 友だちに挨拶する
greet a friend

016 (人)と握手をする
shake hands with *someone*

017 余分な油を拭き取る
wipe off excess oil

018 フックに衣服をかける
hang clothes on a hook

019 クッションに座る
sit on a cushion

Round 1	Round 2	Round 3	Round 4	Round 5	Round 6
Start	Review	Review	Review	Review	Review
月　　日	月　　日	月　　日	月　　日	月　　日	月　　日

▶ fall は動詞で「落ちる」という意味に加えて、「(急に)…になる」という意味もあります。asleepは形容詞で「眠っている」。asleep at the wheel(居眠り運転である)のように使います。immediately は副詞で「すぐに」。

▶ make は後に動作を表す名詞を置いて、「…する」を表します。haste は名詞で「急ぐこと」。類義語に名詞 hurry があります。

▶ keep は動詞で「〜を保持する」という意味とともに「〜を飼う」という意味があります。前置詞 as は「〜として」という意味で、keep a photo as a souvenir(写真をお土産にする)のように使います。

▶ tend to … で「…しがちである、…する傾向がある」。stay at home で「留守番をする、家にこもる」という意味があります。at がない stay home は単に「家にいる」という意味になります。

▶ clean は形容詞「きれいな」として使われる他に、clean a room(部屋をきれいにする)のように、動詞で「〜をきれいにする、掃除する」として使います。thoroughly は副詞で「徹底的に」。

▶ water は「〜に水をやる、〜をぬらす」を意味して、動詞として使います。「芝生に水をまく」は water the lawn で表します。plant は名詞で「植物」の他に「工場」という意味があります。

▶ greet は動詞で「〜に挨拶をする」という意味です。直後には挨拶をする相手が来ます。

▶ shake は動詞で「〜を握る」。hand(手)が複数形になっているのは、握手をするにあたり、2人(以上)分の手が必要になるためです。名詞で「握手」は handshake です。

▶ wipe off で「〜を拭き取る」という意味の表現です。wipe off a table(テーブルを拭く)や wipe off (the) sweat(汗を拭く)のような使い方をします。excess は形容詞で「余分の」。

▶ hang は動詞で「〜をかける、つるす」。clothes は名詞で「衣服」。常に複数形で使うことに注意しましょう。類義語として、dress や costume、clothing があります。

▶ sit on で「〜(の上)に座る」という意味の表現です。sit on a chair(椅子に座る)や sit on a stool(スツールに座る)のように使います。cushion は名詞で「クッション」。

01 日常生活

020 行儀よくふるまう
behave well

021 引き出しを空っぽにする
clean out a drawer

022 釘を打つ
hammer a nail

023 ゴムバンド
a rubber band

024 小包を郵送する
mail a parcel

025 働いて喉が渇く
work up a thirst

026 ロックを開けるために鍵を使う
use a key to open a lock

027 ラジオをつける
turn on the radio

028 住所を書く
write *your* address

029 雨宿りをする
shelter from the rain

030 町を散歩する
walk around the city

Round 1	Round 2	Round 3	Round 4	Round 5	Round 6
Start	Review	Review	Review	Review	Review
月　　日	月　　日	月　　日	月　　日	月　　日	月　　日

▶ behave は動詞で「ふるまう」。「行儀が悪い」ことを表す場合には、behave badly のように表します。他にも、well の代わりに、considerately（思いやりをもって）や consistently（一貫して）などを使うことができます。

▶ clean out で「～を空にする、きれいに掃除する」という意味です。clean out a filing cabinet（書類整理棚を空にする）や clean out the room（部屋を掃除する）のように使います。drawer は名詞で「引き出し」。

▶ hammer は名詞で「金づち、ハンマー」という意味がありますが、ここでは動詞「～を打つ、叩く」として使っています。nail は名詞で「釘」です。「（手足の）爪」という意味もあります。

▶ rubber は名詞で「ゴム」。rubber gloves（ゴム手袋）のように使います。band は名詞で「ひも、帯」。a hair band（ヘアバンド）のように使います。

▶ mail は動詞で「～を郵送する」。parcel は名詞で「小包」。「小包を郵送する」を、send a parcel by mail のように言うこともできます。

▶ thirst は名詞で「喉」。「喉が渇くほどよく働いている」様子を表しています。thirst の形容詞形は thirsty です。

▶ open の反義語は close ですが、close a lock とは言いません。「鍵を開ける」と言いたい場合には、unlock the door と表すことができます。

▶ turn on ～で「～をつける」という意味の表現です。turn on a light（電気をつける）や turn on an air-conditioner（冷房を入れる）のように使います。

▶ write は動詞で「～を書く」。address は名詞で「住所」。address に関連した表現で、address change（住所変更）や zip[postal] code（郵便番号）をおさえておきましょう。zip code はアメリカでのみ使います。

▶ shelter は動詞で「避難する、隠れる」。避けるものを表すために、後ろに from を伴うことが多いです。「雨から隠れる」というのが直訳です。

▶ walk around で「歩き回る、散歩する」という意味の表現です。walk around a supermarket（スーパーを歩き回る）や walk around a park（公園を散歩する）のように使います。

01 日常生活

file-01

031 深呼吸をする
breathe deeply

032 悲しい映画を見る
see a sad film

033 ずぶ濡れである
be dripping wet

034 太陽に目がくらむ
be blinded by the sun

035 薄いお茶のほうが好き
prefer weak tea

036 生活必需品
the bare necessities

verb 01 大切な基本動詞 call

file-02

明日電話をかけ直す
call back tomorrow

断固たる処置を要求する
call for strong action

顧客を訪問する
call on a customer

旧友に電話をかける
call up an old friend

Round 1	Round 2	Round 3	Round 4	Round 5	Round 6
Start	Review	Review	Review	Review	Review
月　日	月　日	月　日	月　日	月　日	月　日

▶ breathe は動詞で「呼吸する」。名詞の breath（息）との発音の違いに注意しておきましょう。deeply は副詞で「深く」。

▶ see a film で「映画を見る」という意味の表現です。watch a film という表現でも同じ意味を表すことができます。film（映画）は、foreign film（外国映画）や horror film（ホラー映画）のように使います。

▶ wet は形容詞で「湿った、雨で濡れた」。dripping は形容詞で「ずぶ濡れの」。ここでは副詞的に使って、wet の度合いを強調しています。

▶ blind は動詞で「〜（の目）を見えなくする」。直訳の「太陽によって目を見えなくさせられる」というところから「目がくらむ」という意味となっています。

▶ prefer は動詞で「〜を好む」。何かと比べて好みを述べるときに使います。tea（お茶）や coffee（コーヒー）の濃さを表す際に、weak で「薄い」を、strong で「濃い」を意味します。

▶ bare は形容詞で「むき出しの、最低限の」。necessity は名詞で「必要（性）、必需品」。「生活必需品」は他にも、commodities や basic goods、daily essentials などで表すことができます。

call → 声をかける

試合を中止する

☐ **call off a game**

02 食

食に関する動作や道具も切ですが、身近な食材も意外な盲点です。

- green onion　　長ねぎ
- eggplant　　　　なす
- cucumber　　　きゅうり
- Chinese cabbage　白菜
- bamboo shoot　　たけのこ
- lotus root　　　れんこん
- soy bean　　　　大豆

---

037 お腹は減っていますか？
Are you hungry?

038 たくさんの食べ物
a lot of food

039 ポットに蓋をする
put a lid on the pot

040 ボール1杯のスープ
a bowl of soup

041 1かたまりのパンを焼く
bake a loaf of bread

042 トレイに乗った新鮮な果物
a tray of fresh fruit

043 鬼を追い払うために豆をまく（節分）
scatter beans to drive out devils

044 鍋で魚を揚げる
fry fish in a pan

Round 1	Round 2	Round 3	Round 4	Round 5	Round 6
Start	Review	Review	Review	Review	Review
月　　日	月　　日	月　　日	月　　日	月　　日	月　　日

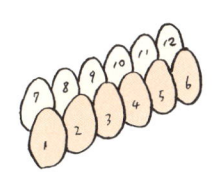

a dozen eggs

put on plenty of salt

> hungry は形容詞で「空腹の」。feel hungry（空腹を感じる）や (as) hungry as a bear（腹ぺこで）のように使います。hungry の反意語は full（満腹の）です。

> a lot of ～で「たくさんの～」という意味です。類義語の many は後ろに数えられる名詞（可算名詞）の複数形を、much は後ろに数えられない名詞（不可算名詞）を置きます。food の類義語は meal です。

> lid は名詞で「蓋」。put の代わりに place を用いても、同じ意味を表すことができます。「～の蓋を開ける」と言いたい場合には、take the lid off ～を使いましょう。

> soup（スープ）を数える場合、前に a [two, three, …] bowl(s) of を置きます。他に bowl を使う例として、a bowl of rice（ご飯1膳）があります。

> bake は動詞で「～を焼く」。bake a cake（ケーキを焼く）のように使います。前の soup 同様、bread は数えられない名詞ですので、前に a [two, three, …] loaf(s) of を置きます。

> tray は名詞で「トレイ、盆」。a tray of dishes（食器の載ったトレイ）や a tray of food（食べ物の載ったトレイ）のように使います。fresh は形容詞で「新鮮な」。fruit は名詞で「果物、フルーツ」。

> 節分の豆まきの行為を表す表現となります。scatter は動詞で「～をまき散らす」。drive out で「～を追い払う」という意味です。

> fry は動詞で「～を揚げる」。鍋の中で揚げるので、in（～の中で）を使って in a pan と表現されています。put ～ in a pan（～を鍋に入れる）や heat ～ up in a pan（～を鍋で温める）のように使います。

02 食

045 流しで皿を洗う
wash dishes in a basin

046 （ブリキ）缶を開ける
open a tin can

047 たくさんのビール
tons of beer

048 一切れのチーズ
a slice of cheese

049 鶏を丸ごとあぶり焼きにする
roast a whole chicken

050 湯気が出るまでお湯を沸かす
boil water until it steams

051 木の実を割る
crack a nut

052 生野菜を切り刻む
cut up raw vegetables

053 1袋の米
a bag of rice

054 12個入りの卵
a dozen eggs

055 カレー粉
curry powder

Round 1	Round 2	Round 3	Round 4	Round 5	Round 6
Start	Review	Review	Review	Review	Review
月　日	月　日	月　日	月　日	月　日	月　日

▶ wash dishes で「皿を洗う」という意味です。同じ意味を表す表現として、do the dishes があります。basin は名詞で「流し」。類義語に sink があります。カタカナで「シンク」と言われています。

▶ open a can で「缶を開ける」という意味です。関連した表現として、with a can opener（缶切りで）をおさえておきましょう。

▶ tons of ~で「たくさんの~」という意味です。a ton of ~や a lot of ~、lots of ~でも同じ意味を表します。後ろには数えられる名詞も数えられない名詞も来ます。

▶ a slice of ~で「一切れの~」という意味です。a slice of toast（一切れのトースト）や a slice of watermelon（一切れのスイカ）のように使います。

▶ roast は動詞で「~を焼く、あぶる」。roast the turkey in the oven（オーブンで七面鳥を焼く）のように使います。whole は形容詞で「全体の、すべての」。

▶ boil は動詞で「~を沸かす、ゆでる」。boil an egg（卵をゆでる）や boil beans（豆を煮る）のように使います。steam は動詞で「湯気を立てる」。名詞で「水蒸気」という意味もあります。

▶ crack は動詞で「~を割る」。crack an egg（卵を割る）や crack a coconut（ココナツを割る）のように使います。

▶ cut up で「切り刻む」という意味です。cut up a tomato（トマトを切り刻む）のように使います。raw は形容詞で「生の」。raw meat（生肉）のように使います。raw の反意語は cooked（調理されている）です。

▶ お米の量を示したい場合には、a [two, three, …] bag(s) of ~を使うことができます。

▶ dozen は形容詞で「12個の、1ダースの」。名詞で「12個、ダース」として使うこともあります。この半分を表す場合には、a half-dozen（6個の、半ダースの）を使うことができます。

▶ powder は名詞で「粉」です。garlic powder（ニンニク粉末）のように使います。

02 食

056 堅い緑色のリンゴ
a firm green apple

057 一杯のジュースを飲む
drink a glass of juice

058 カップと皿
a cup and saucer

059 皿に盛って出す
serve on a plate

060 すっぱいブドウ
sour grapes

061 カップ一杯の砂糖を加える
add a cup of sugar

062 鍋でソースをかき混ぜる
stir sauce in a pot

063 バターなしの味のついていないパン
plain toast without butter

064 早めの夕食をとる
eat an early supper

065 多めの昼食をとる
have a large lunch

066 舌を噛む
bite *my* tongue

Round 1	Round 2	Round 3	Round 4	Round 5	Round 6
Start	Review	Review	Review	Review	Review
月　　日	月　　日	月　　日	月　　日	月　　日	月　　日

- firm は形容詞で「堅い」。類義語は hard。反意語は soft（柔らかい）です。

- drink は動詞で「〜を飲む」。飲み物の量をグラスで示したい場合には、a [two, three, …] glass(es) of 〜を使うことができます。a glass of water（一杯の水）や a glass of milk（一杯の牛乳）のように使います。

- 名詞 cup は取っ手のある、温かい飲み物を入れるもので、glass とは区別されます。saucer は名詞で「（コーヒーカップ受けの）浅い皿」。類義語に dish があります。

- serve は動詞で「食事を出す」。on a plate という表現の例として、put 〜 on a plate（〜を皿に盛る）をおさえておくとよいでしょう。

- sour は形容詞で「すっぱい」。類義語に acid があります。反意語には sweet（甘い）があります。イソップ物語の *sour grapes* から、「負け惜しみ」 という意味もあります。

- add は動詞で「〜を加える」。量をカップで示したい場合には、a [two, three, …] cup(s) of 〜を使うことができます。a cup of coffee（コーヒー一杯）や a cup of tea（紅茶一杯）のように使います。

- stir は動詞で「〜をかき混ぜる」。stir 〜 with a spoon（スプーンで〜をかき混ぜる）のように使います。

- plain は形容詞で「味のついていない」。plain yogurt（プレーンヨーグルト）のように使います。toast は名詞で「パン」。without は前置詞で「〜なしで（の）」。

- supper は名詞で「夕食」。「遅い夕食」と言いたい場合は、a late supper です。類義語は dinner です。「食べる」ことを表す eat の代わりに、have を使っても構いません。

- lunch（昼食）は midday meal で言い換えることもできます。「軽い昼食」と言いたい場合は、a light lunch です。

- bite は動詞で「〜を噛む」。bite one's lip で「唇を噛む」という意味の表現です。tongue は名詞で「舌」という意味の他に、「言葉」という意味もあります。

02 食

067 切れ味の悪い包丁
a dull blade

068 (物)を食器棚に入れておく
keep *something* in the cupboard

069 ナイフ、フォーク、スプーン
a knife, fork and spoon

070 材料を一緒に混ぜる
mix the ingredients together

071 空きテーブル
an available table

072 小麦をひいて小麦粉にする
grind wheat into flour

073 太る
get fat

074 文句なしにおいしい味
an altogether delicious taste

075 一杯のコーヒー
a cup of coffee

076 多めの朝食をとる
have a heavy breakfast

077 熟したベリーのクリーム添え
ripe berries with cream

Round 1	Round 2	Round 3	Round 4	Round 5	Round 6
Start	Review	Review	Review	Review	Review
月　日	月　日	月　日	月　日	月　日	月　日

- dull は形容詞で「切れ味の悪い」。類義語に blunt があります。また、反意語は sharp（切れ味の鋭い）です。blade は名詞で「刃物」。

- keep sugar in the cupboard（砂糖を食器棚に入れておく）のように使います。cupboard は名詞で「食器棚」。keep の代わりに store を使うことで、「蓄えておく」という意味合いを出すことができます。

- 食器の「刃物類」は総称して cutlery と言います。アメリカ英語では silverware や flatware も使います。

- mix ～ together で「～を一緒に混ぜる」という意味の表現です。ingredient は名詞で「材料」。What kind of ingredients do you use?（どんな材料が使われているのですか?）は食事中に使える表現ですね。

- available は形容詞で「利用できる」。available に他にも多くの意味がありますが、ここでは free や unoccupied が類義語となります。

- grind は動詞で「～をひく」。grind ～ into …（～をひいて…にする）という形。wheat は名詞で「小麦」。flour は名詞で「小麦粉」。

- get は動詞で「～を得る」という意味の他に、「～になる」という意味もあります。fat は形容詞で「太った」。反意語に lean や thin、slender があります。

- altogether は副詞で「完全に」。これが形容詞 delicious（おいしい）を修飾しています。delicious の類義語として、tasty や good があります。taste は名詞で「味」。

- 量をカップで示したい場合には、a [two, three, …] cup(s) of ～を使うことができます。a cup of sugar（砂糖一杯）や a cup of tea（紅茶一杯）のように使います。

- have a breakfast で「朝食をとる」という表現です。heavy の反意語である light を使って、a light breakfast（軽めの朝食）ということができます。

- ripe は形容詞で「熟した」。類義語に mellow や mature があります。

02 食

078 苦味
a bitter flavor

079 一切れの赤身肉
a lean piece of meat

080 たくさんの塩をふる
put on plenty of salt

081 １～２パイントの牛乳
a pint or quart of milk

082 溶かしたチーズにパンを浸す
dip bread in melted cheese

verb 02 大切な基本動詞　make

宝石を持ち逃げする
make away with jewels

電車でボストンへ向かう
make for Boston by train

その映画をどう思う？
What do you make of the film?

素晴らしい説明を作り出す
make up a good explanation

手書きのものを読む
make out *someone's* writing

Round 1	Round 2	Round 3	Round 4	Round 5	Round 6
Start	Review	Review	Review	Review	Review
月　日	月　日	月　日	月　日	月　日	月　日

▶ bitter は形容詞で「苦い」。反意語は sweet（甘い）です。flavor は名詞で「味」。類義語には taste があります。

▶ lean は形容詞で「赤みの」。a [two, three, …] piece(s) of ～で肉の量を数えています。数えられない名詞を後ろに置いて、a piece of paper（紙１枚）や a piece of news（１つのニュース）のように使われます。

▶ plenty of ～で「たくさんの～」という意味です。後ろには数えられる名詞も数えられない名詞も来ます。plenty of food（たくさんの食べ物）や plenty of beer（たくさんのビール）のように使います。

▶ pint は名詞で「パイント」。約 0.5 リットルを表します。quart は名詞で「２パイント」を表します。

▶ dip は動詞で「～を浸す」。melted は動詞 melt（～を溶かす）の過去分詞形で、「溶かされた」という意味です。dip a chip in salsa（チップスをサルサに浸す）のように使います。

make → つくる

具体的なモノをつくる

アイデアや考えをつくる

重大な過ちの埋め合わせをする
make up for a serious mistake

リストを作成する
make up a list

03 お金

英語の数字は、3桁ごとに区切って読むのが基本です。
1,000（one thousand）、10,000（ten thousand）、
100,000（one hundred thousand）、1,000,000（one million）

- pay in one lump sum — 一括で払う
- make a down payment — 頭金を支払う
- withdraw money from an ATM — ATMからお金を引き出す
- savings account — 預金口座
- PIN (personal identification number) — 暗証番号

---

083 銀行口座を開く
open a bank account

084 取引を成立させる
complete a sale

085 正確な費用をたずねる
request the exact cost

086 ローンを返済する
pay back a loan

087 費用を見積もる
estimate costs

088 価格を確認する
check the figures

089 お金の使い方について言い争う
argue about spending money

090 新しい車を買う余裕がある
afford a new car

Round 1	Round 2	Round 3	Round 4	Round 5	Round 6
Start	Review	Review	Review	Review	Review
月　　日	月　　日	月　　日	月　　日	月　　日	月　　日

open a bank account

a dollar is 100 cents

> 銀行口座「を解約する」場合には、open の反意語である close を使います。名詞 account には様々な意味がありますが、ここでは「口座」の意味です。

> complete は動詞で「〜を完成させる、終える」。sale は名詞で「販売、売却」。complete a sale の反対の意味にあたる表現は lose a sale（売りそこなう）です。

> request は動詞で「〜を頼む」。exact は形容詞で「正確な」。cost は名詞で「費用」。類義語に expense や price があります。

> pay back で「返済する」という意味です。repay や refund が類義語です。反対の「借金をする」は、take out a loan や borrow money で表します。loan は名詞で「ローン、借金」。類義語は debt があります。

> estimate は動詞で「〜を見積もる」。estimate one's income（収入を見積もる）のように使います。cost は名詞で「費用」。

> check は動詞で「〜を確認する」。figure は名詞で「合計、計算、価格」。他にも「人の姿」「人物」「図形」など多くの意味がありますので、注意しましょう。

> argue about 〜で「〜について論じる」という意味の表現です。spend は動詞で「〜を費やす」という意味で、spend money で「お金を使う」という意味の表現です。

> afford は動詞で「〜を買う（持つ）余裕がある」。afford a house（家を買う余裕がある）や afford a trip（旅行に行く余裕がある）のように使います。

03 お金

091 余ったお金を貯める
put extra **coins aside**

092 1ドルは100セントである
a **dollar** is 100 **cents**

093 ペニーは銅からできている
a **penny** is made of **copper**

094 莫大な富を所有する
possess great **wealth**

verb 03 大切な基本動詞　show

彼女に建物を案内する
show *her* **around** the building

彼の新車を見せびらかす
show off *his* new car

彼女は遅れて現れた。
She **showed up** late.

Round 1	Round 2	Round 3	Round 4	Round 5	Round 6
Start	Review	Review	Review	Review	Review
月　日	月　日	月　日	月　日	月　日	月　日

▶ put aside で「〜を取っておく」という意味です。put money aside（お金を取っておく、蓄える）のように使います。extra は形容詞で「余計な、余分な」。

▶ dollar は「ドル」。cent は「セント」。ともにアメリカやカナダ、オーストラリア、ニュージーランドなどの貨幣単位です。

▶ penny は「ペニー」で、アメリカの 0.01 ドルです。copper は名詞で「銅」。

▶ possess は動詞で「〜を所有する」。類義語として、have や own があります。wealth は名詞で「富」。riches や fortune が類義語となります。

show → 誰かにみせる

04 買いもの

file - 07

外国で買いものをする際に知っておきたい語句です。日本で買いものをしているときに、「英語だったら、どのように言うだろう？」と考える癖をつけると覚えやすくなります。

- ☐ get *my* change — おつりをもらう
- ☐ line up at a checkout counter — レジに並ぶ
- ☐ bargain down the price — 値切る
- ☐ clearance sale — 処分セール
- ☐ shopping arcade — 商店街

095 友だちのためにプレゼントを買う
buy presents for friends

096 ドレスを買いに行く
shop for a dress

097 クレジットカードで支払いをする
pay by credit card

098 現金で支払いをする
pay in cash

099 消費税を払う
pay consumption tax

100 お買い得品を買う
get a good bargain

101 包みをひもでくるむ
wrap a bundle with string

102 ショッピングカートを押す
push a shopping cart

Round 1	Round 2	Round 3	Round 4	Round 5	Round 6
Start	Review	Review	Review	Review	Review
月　日	月　日	月　日	月　日	月　日	月　日

pay by credit card

buy a present for a friend

- buy は動詞で「〜を買う」。「人に物を買う」と言いたい場合は、buy 物 for 人か buy 人＋物で表します。present は名詞で「プレゼント、贈り物」。

- shop は名詞で「店」という意味がありますが、動詞で「買い物をする」をいう意味もあります。look for 〜（〜を探す）の for のように、買い求めるものを後ろに続けるなら、shop for 〜とします。

- pay は動詞で「支払いをする」。支払いの手段がクレジットカードだった場合には、by を使って表します。

- 支払いの手段が現金だった場合には、in を使います。上の by credit card と区別して覚えておきましょう。

- consumption tax で「消費税」を意味します。consumption は名詞で「消費」。tax は名詞で「税（金）」。例えば、corporate tax（法人税）のように使います。

- bargain は名詞で「掘り出し物」。カタカナを使って「バーゲン品」と言い換えることもできます。

- wrap は動詞で「〜をくるむ」。「ラップをする」というカタカナが使われているのはこの単語が元となっています。bundle は名詞で「包み」。string は名詞で「ひも」。

- push は動詞で「〜を押す」。「〜をショッピングカートに入れる」と言いたい場合は、put 〜 in a shopping cart と表します。

05 交通・乗りもの

file-08

海外旅行をする上で知っておくとよい語句ばかりです。交通機関を利用する際、覚えておくだけでスムーズに動けます。

- ☐ cross at the crosswalk 　横断歩道を渡る
- ☐ traffic jam 　交通渋滞
- ☐ offer *my* seat 　席を譲る
- ☐ express fare 　特急料金
- ☐ timetable 　時刻表

jam は「混雑、雑踏」の意味。

---

103 電車に乗る
take a train

104 車を運転する
drive a car

105 電車賃
train fares

106 バスを待つ
wait for a bus

107 適度なスピードで運転する
drive at a moderate speed

108 駅に急いで向かう
hurry to the station

109 飛行機のチケット
an airplane ticket

110 交通信号
a traffic signal

Round 1	Round 2	Round 3	Round 4	Round 5	Round 6
Start	Review	Review	Review	Review	Review
月　日	月　日	月　日	月　日	月　日	月　日

take a train

fly economy class

▶ 「電車に乗る」という動作を take で表します。他に、get on a train や ride a train、catch a train と表すことができます。

▶ drive は動詞で「〜を運転する」。名詞で「運転すること、ドライブ」という意味もあります。

▶ fare は名詞で「運賃」。a taxi fare（タクシー料金）や an airline fare（航空運賃）のように、交通機関の運賃を表します。

▶ wait for 〜で「〜を待つ」を意味します。

▶ スピードはある一つの速度を示しますので、前置詞は一点を示す at を使います。moderate は形容詞で「適度な」。「速い」「遅い」はそれぞれ、high と slow で表すことができます。

▶ hurry は動詞で「急ぐ」。類義語に rush があります。ここでは rush to the station と言い換えることができます。

▶ ticket は名詞で、カタカナにもなっているように、「チケット」を意味します。「切符」や「入場券」など「チケット」の意味は広いです。

▶ traffic は名詞で「交通（量）」。signal は名詞で「信号」。traffic signal の類義語に stoplight があります。主にアメリカで使う単語です。

05 交通・乗りもの

file-08

111 （飛行機の）エコノミークラスに乗る
fly economy class

112 船長
the captain of a ship

113 うるさいエンジン
a noisy engine

114 有能な整備士を探す
search for a good mechanic

verb 04 大切な基本動詞　pick

file-09

空港にジョンを迎えに行く
pick John up at the airport

他の誰かをいじめる
pick on *someone* else

チョークを手に取る
pick up a piece of chalk

最もよいものを選ぶ
pick out the best

Round 1	Round 2	Round 3	Round 4	Round 5	Round 6
Start	Review	Review	Review	Review	Review
月　　日	月　　日	月　　日	月　　日	月　　日	月　　日

▶ fly と economy class の間に in が省略されていると考えるとよいでしょう。もちろん in をつけて表現しても、問題はありません。

▶ captain は名詞で、カタカナで「キャプテン」と言われるように、「長」を意味します。

▶ engine は名詞で「エンジン」。engine trouble（エンジンの故障）のように使います。noisy は形容詞で「うるさい」。反意語は quiet（静かな）です。

▶ search は動詞で「～を探す」。search a house（家の中を捜す）のように、目的語には場所を表す語が来ます。探す物を示す場合は、search for ～ のように使います。mechanic は名詞で「整備士」。

pick → えらぶ

06 車・道

車や道に関する表現は、カタカナになっているものもあります。英語とカタカナが一致することもありますが、あくまで参考程度にするのが得策です。

- □ blow *my* horn　　　クラクションを鳴らす
- □ rearview mirror　　　バックミラー
- □ turn signal　　　ウインカー
- □ flat tire　　　パンク

tire が flat（平らな）になることから「パンク」を意味します。

---

115 間違った道を行く
go the wrong way

116 通りの真ん中
the middle of the street

117 ハンドルを回す
turn the steering wheel

118 自動車事故
an automobile wreck

119 自転車にぶつかる
hit a bicycle

120 雪の上にある跡
a track through the snow

121 2ブロックを行く
go two blocks

122 急な坂を滑り降りる
slide down a steep slope

Round 1	Round 2	Round 3	Round 4	Round 5	Round 6
Start	Review	Review	Review	Review	Review
月　日	月　日	月　日	月　日	月　日	月　日

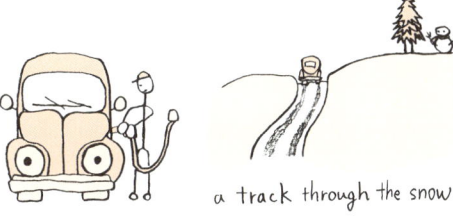

pump gas

a track through the snow

go two blocks

▶ wrong は形容詞で「間違った」。類義語に incorrect があります。反意語は correct（正しい）です。way は名詞で「道」。類義語に road があります。

▶ middle は名詞で「真ん中、中心部」。street は名詞で「通り」。カタカナで「ストリート」と言われている単語です。

▶ turn は動詞で「〜を回す」。turn the key（鍵を回す）のように使われます。steering wheel で「（自動車の）ハンドル」を意味します。wheel 一語でも「ハンドル」を意味することがあります。

▶ wreck は名詞で「事故」。wreck には「難破船」「破損」といった意味があり、「事故」の度合いがひどいことを表します。類義語に accident があります。

▶ hit は動詞で「〜を打つ」という意味が有名ですが、「〜にぶつかる」という意味もあります。「ひかれる」という意味で、be hit の形で使うことも多いです。

▶ track は名詞で「通った跡」「小道」。道ができた場所を through を使って表しています。

▶ 目的地への行き方を説明するときによく使う表現です。go の後に、どれだけ進めばいいのかを述べればよいです。

▶ slide down で「滑り降りる」を意味します。steep は形容詞で「急な」。slope は名詞で「坂」。「急な坂を登る」と言いたい場合は、climb a steep slope で表します。

06 車・道

123 車の流れを妨げる
hinder the **flow** of cars

124 （本線上の車に先を）譲れ
Yield

125 注意
Caution

126 道のカーブ
a **curve** in the road

127 タイヤ交換をする
replace a **tire**

128 車庫に駐車する
park in a **garage**

129 車に給油する
pump gas

130 1ガロンあたり4ドル
$4 per gallon

131 積み荷を減らす
lessen a **load**

132 事故を引き起こす
cause an **accident**

Round 1	Round 2	Round 3	Round 4	Round 5	Round 6
Start	Review	Review	Review	Review	Review
月　日	月　日	月　日	月　日	月　日	月　日

▸ hinder は動詞で「〜を妨げる」。hinder traffic（交通が渋滞する）のように使います。flow は名詞で「流れ」。

▸ yield は動詞で「屈する」という意味で、そこから派生して、「道を譲る」という意味があります。道路標識などで使われる表現です。

▸ caution は名詞で「注意、用心」。公共の掲示板などで使われる表現です。

▸ curve は名詞で、カタカナで「カーブ」と言われるように、「曲線」を意味します。

▸ replace は動詞で「〜を取り替える」。re（元に）+place（置く）という単語のつくりと意味を結びつけてください。

▸ park は動詞で「駐車する」。parking area（駐車場）はカタカナで「パーキングエリア」と言いますが、parking の動詞形が park です。garage は名詞で「車庫」。カタカナで「ガレージ」と言われている単語です。

▸ pump は動詞で「〜をポンプでくむ」。gas は名詞 gasoline（ガソリン）の短縮形です。

▸ per は前置詞で「〜につき」。gallon は名詞で「ガロン」。液体の単位です。1 ガロンは、アメリカでは約 3.8 リットル、イギリスでは約 4.5 リットル。

▸ lessen は動詞で「〜を減らす」。less（より少ない）+en（動作を表す）という単語のつくりと意味を結びつけましょう。load は名詞で「積み荷」。

▸ cause は動詞で「〜を引き起こす」。accident は名詞で「事故」。カタカナで「アクシデント」と言われています。fatal accident（人身事故）のように使います。

verb 05 大切な基本動詞　think
file-11

- 大学時代を振り返る
  think back on *my* **college days**

- 他人について考える
  think of others

- 物事を考え抜く
  think things out

- (物・事) について注意深く考える
  think *something* **through carefully**

verb 06 大切な基本動詞　look
file-12

- 地図を見る
  look at the map

- 古い教会を見て回る
  look around an ancient church

- 高校時代を振り返る
  look back on high school days

- 休暇を楽しみにする
  look forward to vacation

- 犯罪を詳しく調べる
  look into a crime

- 山積みの書類に目を通す
  look through a pile of papers

Round 1	Round 2	Round 3	Round 4	Round 5	Round 6
Start	Review	Review	Review	Review	Review
月　日	月　日	月　日	月　日	月　日	月　日

think → かんがえる

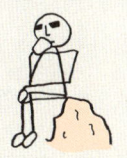

新しい方法を思いつく
think up a new method

look → (とまっているものに)注目する

インターネットで情報を調べる
look up information on the Web

親を尊敬する
look up to *my* parents

新聞の記事にざっと目を通す
look over a newspaper article

07 タイミング

file-13

タイミングを表す様々な表現を紹介しますが、前提として時間帯を表す語をおさえておきましょう。およそ何時から何時までが morning の時間かわかりますか？

- ☐ morning　　0:01-12:00
- ☐ afternoon　12:01-18:00
- ☐ evening　　18:01-22:00
- ☐ night　　　22:01-24:00
- ☐ noon / midnight　12:00 / 24:00

---

133 結局
in the long run

134 突然
all of a sudden

135 突然
out of the blue

136 現在、ちょうどそのとき
at the moment

137 少し時間を割く
spare a few minutes

138 今朝早く
early this morning

139 午前9時から午後5時の間に
between 9:00 a.m. and 5:00 p.m.

140 正午12時に
at 12 noon

Round 1	Round 2	Round 3	Round 4	Round 5	Round 6
Start	Review	Review	Review	Review	Review
月　　日	月　　日	月　　日	月　　日	月　　日	月　　日

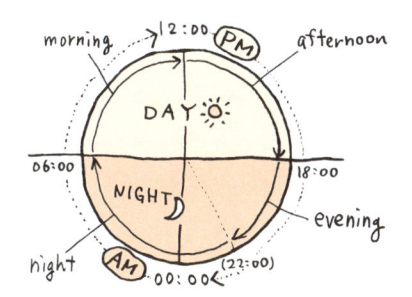

▶ 直訳の「長く走る中で」という意味から、「長い目で見れば」という意味になり、長い目で見た結果、「結局」という意味でも使います。

▶ sudden は形容詞で「突然の」。この表現は副詞 suddenly と似た意味で使います。

▶ blue は blue sky（青空）のことを表しており、「青空から何かがいきなり出てくる」ことを意味します。そのため、「突然」という意味で使います。

▶ moment は名詞で「瞬間」。直訳は「その瞬間に」となりますが、意味のとらえかたによって解釈の仕方が異なります。

▶ spare は動詞で「〜を割く、とっておく」。spare some money（少しお金を割く）のように使います。a few は数えられる名詞の前に置いて、「少しの〜」を意味します。

▶ early は副詞で「早く」。反意語は late（遅く）です。日本語の語順にとらわれずに、early を置く位置に注意しましょう。

▶ between 〜 and …で「〜と…の間に」を意味します。between the house and the park（家と公園の間に）のように、抽象的なもの以外に具体的なものにも使います。

▶ noon は名詞で「正午」。before noon（正午前に）や the noon meal（昼食）のように使います。

07 タイミング

141 10分の遅れ
a delay of ten minutes

142 数年前
several years ago

143 1世紀（100年）
a century

144 一瞬のうちに
in an instant

145 静寂の気まずい瞬間
an awkward moment of silence

146 午後に
in the afternoon

147 そうこうしているうちに
in the meanwhile

148 冬に
in (the) winter

149 まれに（は）
on rare occasions

Round 1	Round 2	Round 3	Round 4	Round 5	Round 6
Start	Review	Review	Review	Review	Review
月　　日	月　　日	月　　日	月　　日	月　　日	月　　日

▸ delay は名詞で「遅れ」。there was a delay（遅れがあった）のように使います。

▸ several は形容詞で「いくつかの」。似た意味を表す表現に a few があります。ago は副詞で「〜前に」。two days ago（2日前）のように、期間の後に ago を置きます。

▸ century は名詞で「100年間」。前に出てきた ago を使って、a century ago（100年前）と言うことが可能です。他にも、the current century（今世紀）や in the past century（過去1世紀に）のように使います。

▸ instant は名詞で「瞬間」。カタカナで「インスタント」と言われる単語です。類義語に moment があります。

▸ awkward は形容詞で「気まずい」。「〜な瞬間」の例として、heartwarming moment（心温まる瞬間）や memorable moment（忘れられない瞬間）のように使います。

▸ 名詞 afternoon（午後）の他に、morning（朝、午前）や in the day time（日中）、at night（夜）などを使って、時間帯を表現することができます。

▸ meanwhile は副詞で「その間に、同時に」という意味がありますが、ここでは the の後に置かれて名詞として使われています。in the meantime と言い換えることが可能です。

▸ spring（春）や summer（夏）、autumn [fall]（秋）のように、季節に関する語句はまとめて覚えておきましょう。

▸ rare は形容詞で「まれな」。カタカナで「レア」と言われる単語です。occasion は名詞で「場合」。直訳で「まれな場合に」ということです。

verb 07 大切な基本動詞　give

- 古本を処分する
  give away used books

- 借りていた本を返す
  give back a borrowed book

- 重圧に負ける
  give in to pressure

- 欲望に流される
  give into a desire

- いい匂いを放つ
  give off a pleasant smell

- パンフレットを配布する
  give out pamphlets

verb 08 大切な基本動詞　wear

- 我慢を重ねる
  wear away *my* patience

- 彼を疲れさせる
  wear *him* **down**

- ビールの酔いが徐々に消えた。
  The effects of the beer **wore off**.

- 電池がすぐに切れる。
  Batteries **wear out** quickly.

give → わたす

モノをわたす　　こころをわたす

- 飲むことを<u>止める</u>
  give up drinking

- フランス語の勉強を<u>あきらめる</u>
  give up on studying French

- 議論に<u>費やされた</u>1時間
  an hour **given over** to discussion

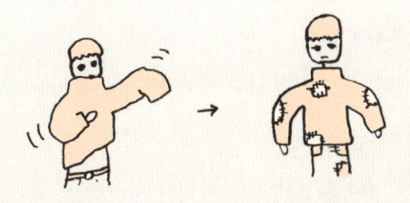

wear → きる → つかれてくる

- 数日が<u>過ぎる</u>。
  The days wear on.

08 スポーツ・レジャー

file-16

ご自分の好きなスポーツやレジャーに関する表現を調べてみると面白いですよ。自己紹介をする際などにバリエーションが豊かになります。

- [ ] put up a tent　　　　　テントを張る
- [ ] get a snow tan　　　　雪焼けする
- [ ] walk *my* dog　　　　犬を散歩に連れて行く
- [ ] do push-ups　　　　　腕立て伏せをする
- [ ] stand on *my* hands　逆立ちする

tan は「日焼け」、通常は suntan を使う。「腹筋運動」は sit-up(s)。

---

150 **人気スポーツ**
a popular sport

151 **プールで泳ぐ**
swim in a pool

152 **川の近くでキャンプをする**
camp by a river

153 **人気のある曲を歌う**
sing a popular tune

154 **野外劇場**
an open-air theater

155 **大観衆を楽しませる**
entertain a large audience

156 **多くの客を惹き付ける**
attract lots of customers

157 **多くの観客を興奮させる**
excite large numbers of spectators

Round 1	Round 2	Round 3	Round 4	Round 5	Round 6
Start	Review	Review	Review	Review	Review
月　　日	月　　日	月　　日	月　　日	月　　日	月　　日

cheer the winner

sing a popular tune

attract lots of customers

- sport は名詞で「スポーツ」。単数形としても複数形としても使います。

- swim は動詞で「泳ぐ」。名詞 swimming（水泳、スイミング）の動詞形です。

- camp は名詞で「キャンプ」という意味がありますが、動詞で「キャンプをする」という意味もあります。「キャンプに行く」と言いたい場合は、go camping と表します。

- sing は動詞で「歌う」。名詞 song は「歌」で、sing a song（歌を歌う）と表すことができます。tune は名詞で「曲、歌曲」。play a tune（曲を演奏する）のように使います。

- open-air は形容詞で「野外の」。類義語に outdoor があります。theater は名詞で「劇場」。カタカナで「シアター」と言われている単語です。

- entertain は動詞で「〜を楽しませる」。類義語に amuse があります。audience は名詞で「観衆」。「観衆」は集団ですので、人数が多い場合は、かたまりの大きさを表す large を使います。

- attract は動詞で「〜を引きつける」。カタカナで「アトラクション」と言われる attraction（魅力）とともにおさえておきましょう。customer は名詞で「顧客」。

- excite は動詞で「〜を興奮させる」。spectator は名詞で「観客」。スポーツやショーなどの観客を指します。類義語の audience は映画や演劇などの観客を指しますので、注意しましょう。

08 スポーツ・レジャー

file-16

158 大ファンである
be a big fan

159 勝利者を応援する
cheer the winner

160 字幕付きの映画
a film with subtitles

161 馬に乗る
ride a horse

162 写真を撮る
take a photograph

163 冒険を楽しむ
enjoy an adventure

164 休暇を楽しみにする
look forward to vacation

165 洞窟を探検する
explore a cave

166 海外旅行をする
travel abroad

167 貝殻を集める
collect sea shells

Round 1	Round 2	Round 3	Round 4	Round 5	Round 6
Start	Review	Review	Review	Review	Review
月　日	月　日	月　日	月　日	月　日	月　日

▸ 「大ファン」という日本語をそのまま英語にすれば通じます。fan は名詞 fanatic（熱狂的愛好者）の短縮形です。

▸ cheer は動詞で「～を応援する、元気づける」。「～を元気づける」という意味で、cheer up も使います。winner は名詞で「勝利者」。反意語は loser（敗者）です。

▸ film は名詞で「映画」。類義語に movie があります。subtitle は名詞で「字幕」。この意味では複数形で使うことが普通です。sub（下に出る）+title（タイトル）という単語のつくりと意味を関連づけて覚えましょう。

▸ ride は動詞で「～に乗る」。ride a bicycle（自転車に乗る）のように、乗り物に乗るときにも使うことができます。

▸ 「写真を撮る」と言いたい場合は、動詞に take を使うことをおさえておきましょう。photograph は photo と縮めてもよいですし、類義語の picture を使ってもよいです。

▸ enjoy は動詞で「～を楽しむ」。adventure は名詞で「冒険」。adventure story（冒険小説）のように使います。

▸ look forward to ～で「～を楽しみにする」を意味します。look forward to seeing you（あなたに会えることを楽しみにする）のように、「～」の位置に動詞の ing 形が来ることもあります。vacation は名詞で「休暇」。

▸ explore は動詞で「～を探検する」。explore a city（街を散策する）のように使います。cave は名詞で「洞窟」。

▸ travel は動詞で「旅行する」。名詞で「旅行」という意味もあります。abroad は副詞で「海外に」。単に「海外へ行く」と言いたい場合は、go abroad と言います。go to abroad とは言いませんので、注意しましょう。

▸ collect は動詞で「～を集める」。類義語に gather があります。shell は名詞で「貝殻」。

09 男女

男女に関する表現は婉曲的なものが多いです。

- make up with *someone* — 仲直りする、(人)とよりを戻す
- be in a long-distance relationship — 遠距離恋愛する
- in a committed relationship — 恋人がいる
- single — 独身
- divorced — バツイチ

relationship には「恋愛関係」の意味もあります。
commit は「委託する身を任す」、committed は「交際する」の意味。

---

168 自分より若い男性と結婚する
marry a younger man

169 美しい女性に会う
meet a beautiful woman

170 よい妻を選ぶ
pick a good wife

171 親切心のかたまり
the essence of kindness

172 彼のプロポーズは彼女を驚かせた。
***His* proposal shocked *her*.**

173 理想の結婚相手
an ideal match

174 結婚の邪魔をする
interfere with a marriage

175 扱いにくい問題
a delicate matter

Round 1	Round 2	Round 3	Round 4	Round 5	Round 6
Start	Review	Review	Review	Review	Review
月　日	月　日	月　日	月　日	月　日	月　日

marry a younger man

pick a good wife

- marry は動詞で「〜と結婚する」。with を伴わないことに注意しましょう。get married with 〜という表現で言い換えることができます。

- meet は動詞で「〜に会う」。類義語に see があります。

- pick は動詞で「〜を選ぶ」。wife は名詞で「妻」。「夫」は husband と表すことができます。

- essence は名詞で「本質」。カタカナで「エッセンス」と言われる単語です。kindness は名詞で「親切心、優しさ」。

- proposal は名詞で「提案」「申し込み」という意味から転じて、「(結婚) プロポーズ」という意味があります。shock は動詞で「〜を驚かせる」。

- ideal は形容詞で「理想的な、完璧な」。類義語に perfect があります。match は名詞で「結婚相手」。「よく釣り合う人」という意味から派生したものと考えられます。

- interfere with 〜で「〜の邪魔をする」を意味します。marriage は名詞で「結婚」。marry の名詞形です。

- delicate は形容詞で「扱いにくい、繊細な」。カタカナで「デリケート」と言われる単語です。matter は名詞で、様々な意味がありますが、ここでは「問題」です。

10 旅行

file-18

旅行中に役立つ表現はもちろん、旅行を振り返ったときに使える表現も含まれています。日記などで実際に使ってみてはいかがでしょうか。

- ☐ soak in a hot spring　　温泉につかる
- ☐ cash traveler's checks　トラベラーズチェックを現金に換える
- ☐ take pictures　　　　　写真を撮る
- ☐ package tour　　　　　パック旅行
- ☐ travel agent　　　　　　旅行代理店

soak は「つける、浸す」の意味。

176　ホテルを予約する
reserve a hotel

177　ツアーガイド
a tour guide

178　旅行する
take a trip

179　宿に宿泊する
stay at an inn

180　一週間分の宿泊先を見つける
find lodging for a week

181　ブラジルへの船旅
a voyage to Brazil

182　イタリア中を渡る電車旅
a train journey across Italy

183　壮大な宮殿
a grand palace

Round 1	Round 2	Round 3	Round 4	Round 5	Round 6
Start	Review	Review	Review	Review	Review
月　日	月　日	月　日	月　日	月　日	月　日

reserve a hotel

a voyage to Brazil

South America

> reserve は動詞で「〜を予約する」。reserve a table（テーブルを予約する）のように使います。類義語に book があります。

> 「ツアーガイド」とカタカナになっているとおりです。

> 「旅行する」という意味で、動詞に take を使うことに注意しましょう。take の代わりに、make や go on などを使うことができます。trip は名詞で「旅行」。

> stay at 〜で「〜に宿泊する」を意味します。at の代わりに in を使うこともできます。inn は名詞で「宿屋」。

> lodging は名詞で「宿」。「宿泊」という行為自体を指すこともあります。

> voyage は名詞で「船旅」。a world cruise（世界一周航海）のように、長い旅を表すことが普通です。

> journey は名詞で「旅行」。voyage に対して、陸上の長い旅を表すことが多いです。類義語に trip があります。前置詞 across は横断するように、端から端までのニュアンスが出ています。

> grand は形容詞で「壮大な」。類義語に magnificent があります。a grand hotel（高級ホテル）のように使われます。palace は名詞で「宮殿」。

10 旅行

184 太平洋にある島
an island in the Pacific Ocean

185 粗い砂の砂浜
a beach of coarse sand

186 休暇を延期する
postpone a vacation

187 安い航空便を予約する
book a cheap flight

188 港に入っている船
vessels in the harbor

189 運河沿いを行く船に乗る
take a boat along a canal

190 ウェイターにチップを置いておく
leave a tip for a waiter

191 円をドルに両替する
exchange yen for dollars

192 手荷物受取所
baggage claim area

193 トランクを運ぶ
carry a trunk

Round 1	Round 2	Round 3	Round 4	Round 5	Round 6
Start	Review	Review	Review	Review	Review
月　　日	月　　日	月　　日	月　　日	月　　日	月　　日

▶ island は名詞で「島」。the Pacific Ocean で「太平洋」を意味します。Ocean が省略されることもあります。「大西洋」は the Atlantic Ocean です。

▶ beach は名詞で「砂浜」。カタカナで「ビーチ」と言われる単語です。sand は名詞で「砂」。coarse は形容詞で「きめの粗い」。類義語に rough があります。

▶ postpone は動詞で「〜を延期する」。似た意味を表す表現に put off があります。vacation は名詞で「休暇」。類義語に holiday がありますが、これは祝祭日の休暇に用いることが多いです。

▶ book は動詞で「〜を予約する」。類義語に reserve があります。flight は名詞で「飛ぶこと」という意味から派生して、「飛行機の航空便」を表します。cheap は形容詞で「安い」。反意語は expensive(高い) です。

▶ vessel は名詞で「(大型の) 船」。類義語に boat や ship があります。harbor は名詞で「港」。類義語に port があります。

▶ 「船に乗る」と言いたい場合には、動詞は take を使うことに注意しましょう。他に、take の代わりに、board や get on を使うこともできます。canal は名詞で「運河」。

▶ tip は名詞で「チップ」。心付けに置くチップですが、国によって習慣が異なりますので、外国に訪れる際には前もって調べておきましょう。

▶ exchange は動詞で「〜を交換する」。exchange 〜 for … (〜を…と交換する) という形で覚えておくとよいです。

▶ baggage は名詞で「手荷物」。類義語に luggage があります。claim は動詞で「〜を要求する」という意味があるため、「手荷物受取所」を表す表現に使われています。

▶ carry は動詞で「〜を運ぶ」。carry a cell-phone (携帯電話を持ち歩く) や carry a credit card (クレジットカードを持ち歩く) のように、「運ぶ」ほど大げさではない物にも使います。

verb 09 — 大切な基本動詞　go

- 先へ進む
  go ahead

- 週末に出かける
  go away for the weekend

- 散歩に出かける
  go out for a walk

- 明日戻ってくる
  go back tomorrow

- 爆弾が爆発した。
  A bomb **went off**.

verb 10 — 大切な基本動詞　walk

- 悪い状況から逃れる
  walk away from a bad situation

- 突然入ってくる
  walk in unexpectedly

- 歩いて柱にぶつかる
  walk into a pole

- 怒って立ち去る
  walk off angrily

- 彼女のスーツケースを持ち去る
  walk off with *her* suitcase

go → 前にすすむ

行って挨拶をする
go over and say hello

数日間続く
go on for days

walk → あるく

従業員をこき使う
walk over *our* employees

発表のリハーサルをする
walk through a presentation

11 仕事

仕事に関する表現は、自分の会社や他の会社とのやり取りで使えるものが満載です。TOEICでも頻出のものが多くあります。

- [ ] exchange business cards　　名刺を交換する
- [ ] go on a business trip　　出張する
- [ ] expense account　　必要経費
- [ ] change jobs　　転職する
- [ ] paid holiday　　有給休暇

expense は「費用」、account は「預金、計算書、勘定書」の意味。

194 全力をつくす
do your best

195 新製品を宣伝する
advertise a new product

196 建物を設計する
design a building

197 ワイン販売者と取引をする
deal with a wine merchant

198 仕事とプライベートの時間のバランスをとる
balance work and private time

199 約束の時間を守る
punctual for appointments

200 国際貿易
international trade

201 鉄鋼業
the steel industry

Round 1	Round 2	Round 3	Round 4	Round 5	Round 6
Start	Review	Review	Review	Review	Review
月　　日	月　　日	月　　日	月　　日	月　　日	月　　日

punctual for appointments　　　approve a proposal

- do one's best で「全力をつくす」を意味します。try one's best や do one's utmost などという表現でも、似た意味を表すことができます。

- advertise は動詞で「〜を宣伝する」。advertise a film（映画を宣伝する）のように使います。類義語に promote があります。product は名詞で「製品」。

- design は動詞で「〜を設計する」。カタカナで「デザインする」と使われる単語です。design a device（装置を設計する）のように使います。

- deal with 〜は「〜と取引をする」を意味します。他に、deal with a problem（問題に対処する）のように、「〜に対処する」という意味でも使います。似た意味の表現に cope with 〜があります。

- balance は動詞で「〜のバランスをとる」。balance work with leisure（仕事と余暇のバランスを保つ）のように使います。

- punctual は形容詞で「時間を守る」。反意語は late（遅れる）です。

- international は形容詞で「国際的な」。類義語には global があります。反意語は domestic（国内の）です。trade は名詞で「貿易」。foreign trade（外国貿易）や free trade（自由貿易）のように使います。

- steel は名詞で「鉄鋼業」。industry は名詞で「産業、〜業」。manufacturing industry（製造業）や computer industry（コンピューター産業）のように使います。

11 仕事

202 おもちゃを製造する
manufacture toys

203 高い賃金を得る
earn high **wages**

204 彼の成功を祝う
congratulate *him* **on** *his* success

205 彼女を褒め称える
reward *her* **with** praise

206 務めを果たす
carry out duties

207 パンフレットを配る
distribute pamphlets

208 提案を承認する
approve a proposal

209 費用を計算する
calculate the expenses

210 官庁の事務職員
a **clerk** in a government office

211 新製品を作る
create a new **product**

212 職員を雇う
hire an **employee**

Round 1	Round 2	Round 3	Round 4	Round 5	Round 6
Start	Review	Review	Review	Review	Review
月　日	月　日	月　日	月　日	月　日	月　日

▶ manufacture は動詞で「〜を製造する」。類義語には make や produce があります。manufacture には名詞で「製造」「製品」といった意味もあります。

▶ earn は名詞で「〜を得る、稼ぐ」。wage は名詞で「賃金」。類義語に salary があります。「わずかな賃金しか得ていない」と言いたい場合は、earn poverty wages と表すことができます。

▶ congratulate は動詞で「(人)を祝う」。congratulate 人 on 物・事という形で「(人)の(物・事)を祝う」という意味をおさえておきましょう。

▶ reward は動詞で「〜に報いる」。with praise で「褒めて」を意味します。

▶ carry out で「〜を実行・遂行する」を意味します。類義語に fulfill や execute があります。duty は名詞で「職務、任務」。この意味では複数形で使うことが普通です。

▶ distribute は動詞で「〜を配る」。distribute a report（報告書を配る）のように使います。distribute goods（商品を流通させる）のように、「流通」の意味合いもあります。

▶ approve は動詞で「〜を承認する、賛成する」。approve a budget（予算を承認する）のように使います。proposal は名詞で「提案」です。

▶ calculate は動詞で「〜を計算する」。類義語に count があります。expense は名詞で「費用」。

▶ clerk は名詞で「事務員」。office clerk（事務員）や reception clerk（受付係）のように使います。

▶ create は「〜を創造する」という意味の動詞で、make（〜を作る）より堅い語です。product は名詞で「製品」。類義語に merchandise や manufacture があります。

▶ hire は動詞で「〜を雇う」。類義語に employ があります。この employ の名詞形である employee は名詞で「職員、従業員」。なお、別の名詞形である employer は「雇い主」という意味です。

11 仕事

213 新技術を<u>採用する</u>
employ new technology

214 改善<u>しようと努力する</u>
make an **effort to improve**

215 <u>転職する</u>
find a **new job**

216 <u>提案を検討</u>する
consider an **offer**

217 安定した<u>利益を得る</u>
make a steady **profit**

218 すぐに<u>返事を送る</u>
send a prompt **reply**

219 <u>量</u>より<u>質</u>
quality over **quantity**

220 彼の<u>都合がつく</u>
suit *his* **convenience**

221 海外企業と<u>競争する</u>
compete against foreign companies

222 厳しい<u>資格条件</u>
a strict **requirement**

223 <u>論理的</u>決定
a logical **decision**

Round 1	Round 2	Round 3	Round 4	Round 5	Round 6
Start	Review	Review	Review	Review	Review
月　　日	月　　日	月　　日	月　　日	月　　日	月　　日

▶ employ は動詞で、前に書いたように「～を雇う」という意味がありますが、他に「～を利用する」という意味もあります。employ the method（その手法を採用する）のように使います。

▶ make an effort to …（= 動詞の原形）で「…しようと努力する」を意味します。effort は名詞で「努力」。improve は動詞で「～を改善する」。

▶ find の代わりに、get や take を使って get [take] a new job と言えば、「新しい仕事に就く」を意味し、look for を使って look for a new job と言えば、「新しい仕事を探す」を意味します。

▶ consider は動詞で「～をよく考える、検討する」。consider a deal（取引を検討する）のように使います。offer は名詞で「提案」。類義語に proposal があります。

▶ make a profit で「利益を出す」を意味します。steady は形容詞で「安定した」。「巨大な利益を得る」と言いたい場合は、steady の代わりに、great や huge などを使います。

▶ send は動詞で「～を送る」。reply は名詞で「返事」。動詞で「返事をする」という意味もあります。prompt は形容詞で「すばやい」。類義語に quick があります。

▶ quality は名詞で「質」。カタカナで「クオリティー」と言われる単語です。quantity は名詞で「量」。

▶ suit は名詞の「スーツ」の意味が有名ですが、suit someone's convenience で「（人）の都合が合う」とおさえておきましょう。convenience は名詞で「便利、好都合」。

▶ compete against ～で「～と競争する」を意味します。against の代わりに with を使っても構いません。

▶ requirement は名詞で「必要なもの、資格」。requirements for admission（入学条件）のように使います。strict は形容詞で「厳しい」。

▶ decision は名詞で「決定、結論」。動詞 decide（～を決定する）の名詞形です。類義語に conclusion（結論）があります。logical は形容詞で「論理的な」。

11 仕事

224 地域商業を促進する
promote local commerce

225 法律家
the legal profession

226 大きなリスクを負う
take a big risk

227 間違った情報を提供する
provide false information

228 大損害
severe damage

229 未決定
up in the air

230 (いくつかの) アドバイスをする
offer some advice

231 異なった角度から
from a different angle

232 正式な契約を結ぶ
sign a formal contract

233 昇給に値する
deserve a pay raise

234 辞めることをためらう
hesitate to resign

Round 1	Round 2	Round 3	Round 4	Round 5	Round 6
Start	Review	Review	Review	Review	Review
月　　日	月　　日	月　　日	月　　日	月　　日	月　　日

▶ promote は動詞で「〜を促進する」。promote a better relationship（よりよい関係を促進する）のように使います。commerce は名詞で「商業」。electronic commerce（電子商取引）のように使います。

▶ legal は形容詞で「法律の」。profession は名詞で「職業」。teaching profession（教職）のように使います。

▶ 「リスクを負う、危険を冒す」と言いたい場合には、take a risk で表します。「大きな」は heavy や huge を使って表すこともできます。

▶ provide は動詞で「〜を提供する」。類義語で offer や supply があります。false は形容詞で「間違った」。incorrect や untrue が類義語です。反意語は接頭辞をとった correct や true となります。

▶ severe は形容詞で「厳しい」。カタカナで「シビア」と言われる単語です。類義語に serious があります。damage は名詞で「損害」。カタカナで「ダメージ」と言われる単語ですが、発音が大きく異なりますので、注意しましょう。

▶ 「空に放り投げられた」という直訳から、日本語の「宙ぶらりん」のように、まだ決まっていないことを表します。

▶ offer advice で「アドバイスをする」という意味です。provide advice でも同じ意味を表します。

▶ angle は名詞で、カタカナで「アングル」と言われるように、「角度」を表します。

▶ sign は動詞で「〜を署名する、〜を結ぶ」。formal は形容詞で「正式な」。contract は名詞で「契約」。contract document（契約書）のように使います。

▶ deserve は動詞で「〜に値する」。deserve a promotion（昇格にふさわしい）のように使います。pay は動詞で「給料」、raise は「上げること」ですので、pay raise は「昇給」を意味します。

▶ hesitate to …（= 動詞の原形）で「…することをためらう」を意味します。ビジネスでは don't hesitate to …（遠慮なく…する）もよく使います。resign は動詞で「辞職する」。類義語に retire があります。

12 オフィスで

file-22

パソコンのキーの名前なども意外に知らないものです。
#（pound key）、＠（at sign key）、＆（ampersand key）、
＊（asterisk）、：（colon key）、；（semicolon key）です。

- [ ] answer the phone　　　電話に出る
- [ ] hang up the phone　　　電話を切る
- [ ] transfer a call　　　電話を転送する
- [ ] make a copy　　　コピーをとる
- [ ] staple these documents　　　それらの書類をホチキスで留める

---

235 **屋内で仕事をする**
work indoors

236 **有能な秘書**
an efficient secretary

237 **仕事について尋ねる**
inquire about a job

238 **ドアをノックする**
knock on a door

239 **1枚の紙を折る**
fold a sheet of paper

240 **IDカードを見せる**
show an ID card

241 **重要な役割を果たす**
play an important role

242 **印刷をするのに忙しい**
be busy printing copies

Round 1	Round 2	Round 3	Round 4	Round 5	Round 6
Start	Review	Review	Review	Review	Review
月　日	月　日	月　日	月　日	月　日	月　日

show an ID card.　　Out of Order

- indoors は副詞で「屋内、室内で」。反意語は outdoors(屋外、戸外で) です。

- secretary は名詞で「秘書」。「秘書」には「秘」の字があるように、secretary の語源は secret(秘密)です。efficient は形容詞で「有能な」。

- inquire about ~で「~について尋ねる」を意味します。似た意味の表現に ask about ~があります。

- knock は動詞で、カタカナにもなっているように、意味は「ノックする」です。叩くものは on で表すことも一緒におさえておきましょう。

- fold は動詞で「~を折る」。fold the letter(手紙を折りたたむ)のように使います。名詞の paper(紙)は a paper のように数えられないため、a sheet of を使って数を数えています。

- show は動詞で「~を見せる」。「名刺を見せる」と言いたい場合、show a business card のように使います。ID card の ID は identification(身元確認)の略です。

- play a role で「役割を果たす」を意味します。play a role in ~(~の役割を果たす)のように、in を後に続けます。play a role in the peace process(和平プロセスにおいて役割を果たす)のように使います。

- be busy …ing で「…するのに忙しい」を意味します。be busy arranging a meeting(会議の調整をするのに忙しい)のように使います。

12 オフィスで

file-22

243 小包の中身に<u>保険をかける</u>
insure the contents of a package

244 <u>封筒に切手を貼る</u>
put stamps on an envelope

245 Eメールに返事をする
respond to an email

246 メッセージを<u>送る</u>
deliver a message

247 <u>詳細を省く</u>
omit the details

248 <u>欠勤</u>
absence from work

249 <u>機器に詳しい</u>
be familiar with equipment

250 <u>故障中</u>
Out of Order

251 狭い棚<u>の上に置く</u>
put on a narrow shelf

252 可能性のあるアイデアについて話し合う
discuss a possible idea

253 <u>非常に明確な</u>
as clear as a bell

Round 1	Round 2	Round 3	Round 4	Round 5	Round 6
Start	Review	Review	Review	Review	Review
月　　日	月　　日	月　　日	月　　日	月　　日	月　　日

▶ insure は動詞で「〜に保険をかける、〜を保証する」。insure the high quality（高品質を保証する）のようにも使います。content は名詞で「中身」。カタカナで「コンテンツ」と言われる単語です。

▶ put 〜 on …で「〜を…に貼る」を意味します。stamp はカタカナで「スタンプ」となっていますが、一番使われる意味は「切手」です。envelope は名詞で「封筒」。

▶ respond to 〜で「〜に返事をする」を意味します。似た意味の表現に reply to 〜があります。answer だけでも似た意味を表すことができます。

▶ deliver は動詞で「〜を送る、配達する」。単に送る意味だけではなく、deliver a speech（スピーチを行う）や deliver a lecture（講義をする）のように、幅広い意味で使います。

▶ omit は動詞で「〜を除外する」。類義語に exclude があります。detail は名詞で「詳細」。カタカナで「ディティール」と言われるのはこの単語です。

▶ absence は名詞で「欠席」。反意語は presence（出席）です。absence from home とすると、「留守」を意味することになりますが、通常は be away from home を使います。

▶ be familiar with 〜で「〜に詳しい」を意味します。be familiar with the area（その地域をよく知っている）のように使います。equipment は名詞で「機器」。数えられない名詞の1つです。

▶ エレベーターのドアに貼られている看板などで目にします。名詞 order（正常な状態）から外に出ているという直訳から、「故障中」という意味となります。

▶ put on 〜で「〜の上に置く」を意味します。put on a table（テーブルの上に置く）のように使います。narrow は形容詞で「狭い」。反意語は broad（広い）や wide です。shelf は名詞で「棚」。

▶ discuss は動詞で「〜について話し合う」。「〜について」という訳語がありますが、about を後ろに伴いませんので、注意しましょう。possible は形容詞で「可能性のある」。

▶ 「ベルの音のように、はっきり聞こえる」という直訳から、「非常に明確な」という意味となります。

12 オフィスで 🔊 file-22

254 質問に答える
reply to a question

255 製品のサンプルを見せる
show samples of a product

256 多くの能力を必要とする
require many skills

257 残業する
work overtime

258 電話に出る
answer the telephone

259 会議に出席する
attend a meeting

verb 11 大切な基本動詞　pay 🔊 file-23

ローンを返済する
pay back a loan

犯罪の報いを受ける
pay for a crime

ギャンブルがうまくいった。
The gamble paid off.

完済しなければならない
have to pay up

Round 1	Round 2	Round 3	Round 4	Round 5	Round 6
Start	Review	Review	Review	Review	Review
月　　日	月　　日	月　　日	月　　日	月　　日	月　　日

▶ reply to ～で「～に答える、返事する」を意味します。似た意味の表現に respond to ～や answer があります。

▶ sample は名詞で、カタカナで「サンプル」と言われているように、「見本」を意味します。sample catalog（見本カタログ）のように、形容詞的に使うこともあります。

▶ require は動詞で「～を必要とする」。類義語に need があります。skill は名詞で、カタカナで「スキル」と言われているように、「腕前、技能」といった意味があります。

▶ overtime は副詞で「時間外に」。over（超えた）+time（時間）という単語のつくりから、意味を想像することができるでしょう。反対の意味を表す表現として、work early（朝早く仕事する）と言うことができます。

▶ answer は動詞で「～に答える」という意味ですが、「電話に出る」ときにも使うことができます。似た意味の表現に take a call があります。

▶ attend は動詞で「～に出席する」。似た意味の表現として、be present at ～や make it to ～があります。meeting は名詞「会議」。類義語は conference です。

pay → はらう

verb 12 大切な基本動詞　work

- レポートに取り組む
  work on a report

- ストレスを解消する
  work off *my* frustrations

- プロポーズをする勇気を出す
  work up courage to propose

- 良い計画を作成する
  work out a good plan

verb 13 大切な基本動詞　throw

- 古い雑誌を捨てる
  throw away old magazines

- コートをサッと脱ぐ
  throw off *my* coat

- ゴミを捨てる
  throw out the trash

- 気持ちが悪くなって吐く
  get sick and throw up

Round 1	Round 2	Round 3	Round 4	Round 5	Round 6
Start	Review	Review	Review	Review	Review
月　　日	月　　日	月　　日	月　　日	月　　日	月　　日

work → とりくむ

throw → モノをなげる

13 宗教

「キリスト教」は Christianity、「イスラム教」は Islam、「神道」は Shintoism、「道教」は Taoism、「ユダヤ教」は Judaism、「ヒンドゥー教」は Hinduism と言います。

- Buddhism — 仏教
- practice Zen meditation — 座禅を組む
- Muslim — イスラム教徒
- baptism — 洗礼
- holy water — 聖水

260 祝日の宗教上の起源
the religious origin of a holiday

261 カトリック教会の神父
a Catholic priest

262 跪いてお祈りする
kneel down and pray

263 大きな寺
a huge temple

264 宗教儀式
a religious ceremony

265 集団に説教する
preach to a crowd

266 神聖な絵画
a sacred painting

267 神社に参拝する
worship in a Shinto shrine

Round 1	Round 2	Round 3	Round 4	Round 5	Round 6
Start	Review	Review	Review	Review	Review
月　　日	月　　日	月　　日	月　　日	月　　日	月　　日

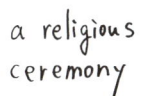

a religious ceremony　zen

a Catholic priest

- religious は形容詞で「宗教の」。origin は名詞で「起源」。カタカナで「オリジナル」という original（最初の）の名詞形です。

- Catholic は形容詞で「カトリック（教会）の」。priest は名詞で「神父、聖職者、司祭」。なお、「プロテスタント（教会）の牧師」は minister を使って表します。

- kneel down で「跪く」を意味します。kneel は名詞 knee（膝）の動詞形です。pray は動詞で「祈る」。

- temple は名詞で「寺、聖堂」。huge は形容詞で「巨大な」。反意語は tiny（ごく小さい）です。

- ceremony は名詞で「儀式、式典」。「宗教儀式を行う」と言いたい場合は、hold [lead] a religious ceremony と表します。

- preach は動詞で「説教する」。牧師などが説教するときに使う語で、説教する相手は to で示します。crowd は名詞で「集団、群衆」。

- sacred は形容詞で「神聖な」。類義語に holy があります。painting は名詞で「絵を描くこと」という動作を意味しますが、「絵」自体も意味します。

- worship は動詞で「崇拝する、礼拝に出る」。shrine は名詞で「聖堂、礼拝堂」。Shinto shrine のように Shinto をつけると、「（日本の）神社」を意味します。

14 政治

政治に関する表現は、英字新聞や雑誌、ニュースで目にしたり耳にしたりするものが多いでしょう。

- ☐ pay consumption tax　消費税を払う
- ☐ go to the polls　選挙に行く
- ☐ decide by majority　多数決にする
- ☐ a member of the Diet　国会議員
- ☐ the Prime Minister　総理大臣

poll は「投票・選挙」の意味。

---

268 国を統治する
govern a country

269 国民を代表する
represent the citizens

270 選挙でのライバル
a rival in an election

271 財政委員会
the finance committee

272 王と女王
king and queen

273 王宮
the royal palace

274 金冠をかぶる
wear a gold crown

275 市民の結束
unity of the people

Round 1	Round 2	Round 3	Round 4	Round 5	Round 6
Start	Review	Review	Review	Review	Review
月　日	月　日	月　日	月　日	月　日	月　日

a national flag　　　represent the citizens

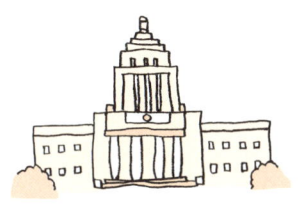

▸ govern は動詞で「～を統治する」。名詞 government（政府）の動詞形です。govern a market（市場を支配する）のように使います。

▸ represent は動詞で「～を代表する」。represent a country（国を代表する）のように使います。citizen は名詞で「国民、市民」。

▸ rival は名詞で、カタカナで「ライバル」と言われているように、「競争相手、対抗者」を意味します。election は名詞で「選挙」。

▸ finance は名詞で「財政」。finance policy（財務政策）のように使います。committee は名詞で「委員会」。

▸ king は名詞で「（国）王」。queen は名詞で「女王」。これらに対して、「家来」は subject で表します。

▸ royal は形容詞で「国王（女王）の、王室の」。a royal wedding（王族の結婚式）のように使います。

▸ crown は名詞で「王冠」。royal crown でも「王冠」という意味になります。

▸ unity は名詞で「結束、統一（性）」。people は名詞で「人々」が一般的ですが、文脈次第で「(国家に対する) 一般民衆」を意味することがあります。

14 政治

276 政府に忠実な
loyal to the government

277 愛国歌を歌う
sing patriotic songs

278 命令に従う
obey an order

279 新大統領を選出する
elect a new president

280 論点をぼかす
confuse an issue

281 部族の首長
the chief of a tribe

282 国旗
a national flag

283 後者の選択肢
the latter option

284 平等な権利を勝ち取る
achieve equal rights

285 大胆な提案をする
make a bold suggestion

286 自由と平等
liberty and equality

Round 1	Round 2	Round 3	Round 4	Round 5	Round 6
Start	Review	Review	Review	Review	Review
月　　日	月　　日	月　　日	月　　日	月　　日	月　　日

▶ loyal は形容詞で「忠誠な」。loyal to one's customers（顧客に忠実である）のように、忠誠を誓う相手を to で示して使うことが多いです。

▶ patriotic は形容詞で「愛国的な」。名詞 patriot（愛国者）の形容詞形です。patriotic spirit（愛国心）のように使います。

▶ obey は名詞で「〜に従う」。obey the law（法律に従う）のように使います。order は名詞で、様々な意味がありますが、ここでは「命令」という意味です。

▶ elect は動詞で「〜を選ぶ」。投票で選ぶ場合に使う動詞です。elect a mayor（市長を選ぶ）のように使います。president は名詞で「大統領」。他にも、「学長」「社長」「会長」といった意味もあります。

▶ confuse は動詞で「〜を混同する」。issue は名詞で「問題点、論争点」。「発行」や「出版物」といった意味もありますが、文脈によって使い分けましょう。

▶ chief は名詞で「長」。section chief（課長）のように使います。tribe は名詞で「部族」。

▶ national は形容詞の「国家の」。national affairs（国事、国務）のように使います。flag は名詞で「旗」。

▶ latter は形容詞で「後者の」。反意語は former（前者の）です。option は名詞で「選択（肢）」。類義語に choice や alternative があります。

▶ equal は形容詞で「平等な」。right は名詞で「右」という意味でよく使いますが、「権利」という意味もあります。a basic human right（基本的人権）のように使います。

▶ make a suggestion で「提案をする」を意味します。suggestion は名詞で「提案」。類義語に proposal があります。make a proposal と言うこともできます。bold は形容詞で「大胆な」。

▶ liberty は名詞で「自由」。類義語に freedom があります。equality は名詞で「平等」。

14 政治

287 ローマ帝国
the Roman Empire

288 もう一つの国を征服する
conquer another country

289 民衆をだます
deceive the public

290 境界を警備する
protect the borders

291 自然境界
a natural boundary

verb 14 大切な基本動詞 keep

根気よく頑張れ！
Keep at it!

彼に近寄らない
keep away from *him*

笑わないようにする
keep from laughing

雨に濡れないようにする
keep off the rain

写真を撮り続ける
keep on taking photographs

Round 1	Round 2	Round 3	Round 4	Round 5	Round 6
Start	Review	Review	Review	Review	Review
月　日	月　日	月　日	月　日	月　日	月　日

▶ Roman は形容詞で「古代ローマの」。empire は名詞で「帝国」。

▶ conquer は動詞で「〜を征服する」。conquer a new territory（新しい領土を征服する）のように使います。

▶ deceive は動詞で「〜をだます」。public は形容詞で「公共の」という意味がありますが、the を伴って集合的に「民衆」を表すことがあります。

▶ protect は動詞で「〜を保護する」。border は名詞で「国境」。カタカナで「ボーダーライン」と言われる単語です。

▶ natural は形容詞で「自然の」。boundary は名詞で「境界線」。類義語に border があります。

keep → 同じ状態をたもつ

その調子で頑張れ！
Keep up the good work!

15 社会

政治に関する表現同様、社会にまつわるものも新聞や雑誌、ニュースに出てきます。これらのメディアを素材に英語に触れる方はおさえてほしいものばかりです。

- [ ] aging population and lower birthrate — 少子高齢化
- [ ] citizen judge system — 裁判員制度
- [ ] increase the consumption tax — 消費税増税
- [ ] join the civil service — 公務員になる
- [ ] temp — 派遣従業員

---

292 ちょっとしたニュース
a bit of news

293 世代間格差
a generation gap

294 近所迷惑
a nuisance to the neighborhood

295 （人）を刑務所に入れる
put *someone* in prison

296 銀行強盗をする
rob a bank

297 車を盗む
steal a car

298 泥棒を罰する
punish the thief

299 警官は逮捕した
police made an arrest

Round 1	Round 2	Round 3	Round 4	Round 5	Round 6
Start	Review	Review	Review	Review	Review
月　日	月　日	月　日	月　日	月　日	月　日

a generation gap

police made an arrest

> a bit of ～で「ちょっとした～、少しの～」という意味です。a bit of money（少しのお金）や a bit of information（ちょっとした情報）のように使います。

> generation は名詞で「一世代」。generation change（世代交代）のように使います。gap は名詞で、カタカナで「ギャップ」と言われているように、「すき間、隔たり」を意味します。

> nuisance は名詞で「迷惑になること、迷惑行為」。pollution nuisance（汚染公害）のように使います。neighborhood は名詞で「近所」。集合的に「近所の人々」を表すこともあります。

> put ～ in …で「～を…に入れる」という形です。prison は名詞で「刑務所」。「刑務所の独房」は a prison cell と言います。

> rob は動詞で「～から奪う」。rob a store（店に強盗に入る）のように使います。

> steal は動詞で「～を盗む」。steal a document（文書を盗む）のように使います。

> punish は動詞で「～を罰する」。類義語に penalize があります。thief は名詞で「泥棒」。類義語に robber や burglar があります。

> made an arrest で「逮捕する」を意味します。arrest は名詞で「逮捕」。動詞で「～を逮捕する」という意味もあります。

15 社会

300 暴力で脅す
threaten with violence

301 不幸を呪う
curse *my* bad luck

302 裁判を開く
hold a trial

303 攻撃に備える
defend against an attack

304 敵に情けをかける
show mercy to an enemy

305 殺人事件を解決する
solve a murder case

306 競争相手に復讐する
take revenge on a rival

307 残酷で利己的な男性
a **cruel selfish** man

308 凶器として棒を使う
use a stick as a weapon

309 (人) を銃で撃つ
shoot *someone* with a gun

310 (物・事)に罪の意識を感じる
feel guilty about *something*

Round 1	Round 2	Round 3	Round 4	Round 5	Round 6
Start	Review	Review	Review	Review	Review
月　　日	月　　日	月　　日	月　　日	月　　日	月　　日

▶ threaten は動詞で「～を脅す」。threaten ～ with nuclear weapons（核兵器で～を脅す）のように、with を伴って使うことがあります。violence は名詞で「暴力」。

▶ curse は動詞で「～を呪う」。curse at ～で「～を罵る」という使い方もあります。

▶ trial は名詞で「裁判」。「裁判を開く」と言いたい場合は動詞 hold を使い、「裁判を回避する」と言いたい場合は、avoid a trial のように使います。

▶ defend は動詞で「～を防御する」。防御する対象となるものは against、または from で示します。反意語は attack（～を攻撃する）です。

▶ show mercy to ～で「～に情けをかける」を意味します。enemy は名詞で「敵」。反意語は friend（友だち）です。

▶ solve は動詞で「～を解決する」。murder は名詞で「殺人」。case は名詞で、「箱」という意味が一般的ですが、「事件」「場合」という意味でもよく使います。カタカナの「ケース」は両方の場合に使われています。

▶ take revenge on ～で「～に復讐する」を意味します。名詞 revenge（復讐）はカタカナで「リベンジ」と言われている単語です。rival は名詞で「競争相手」。こちらも「ライバル」とカタカナになっている単語です。

▶ cruel は形容詞で「残酷な」。類義語に brutal があります。selfish は形容詞で「利己的な」。単語の中に self（自己）が隠れていますので、意味が想像しやすいでしょう。

▶ stick は名詞で「棒」。weapon は名詞で「凶器、武器」。「凶器」は deadly weapon と言われることもあります。

▶ shoot は動詞で「～を撃つ」。スポーツで「シュートをする」ことを表すときにも、shoot は使われます。with で撃つ道具を示します。

▶ feel guilty about ～で「～に罪の意識を感じる」を意味します。guilty は形容詞で「罪の意識がある」。feel guilty about lying（嘘をつくことに罪の意識を感じる）のように、動詞の ing 形が後ろに来ることもあります。

15 社会

311 罪を認める
confess to a crime

312 彼を彼女の過ちで責める
blame *him* **for** *her* own mistakes

313 喧嘩を目撃する
witness a fight

314 冤罪
a **false accusation**

315 同性愛者コミュニティー
the **gay community**

316 ファストフード店に偏見を抱いている
be **prejudiced against** fast-food restaurants

317 遅くまで働くことを嫌う
hate to work late

318 インターネットの発明
the **invention** of the Internet

319 孤独な老人男性
a **lonely** old man

Round 1	Round 2	Round 3	Round 4	Round 5	Round 6
Start	Review	Review	Review	Review	Review
月　　日	月　　日	月　　日	月　　日	月　　日	月　　日

- confess to ～で「～を認める、告白する」を意味します。confess の反意語として conceal（～を隠す）があります。crime は名詞で「罪」。

- blame は動詞で「～を責める」という意味です。blame 人 for 物・事で「(人) を～で責める」という形でおさえておきましょう。blame の反意語は praise（～を褒める）です。mistake は名詞で「過ち」。

- witness は動詞で「～を目撃する」。witness a robbery（強盗事件を目撃する）のように使います。

- false は形容詞で「誤った」。類義語に incorrect や untrue があります。accusation は名詞で「起訴」「罪」。

- gay は形容詞で「同性愛の」。community は名詞で、カタカナで「コミュニティー」と言われている単語です。意味は「共同体」です。

- be prejudiced against ～で「～に偏見を抱いている」を意味します。prejudiced の原形 prejudice は、pre（前もっての）+judice（判断）という単語のつくりになっています。

- hate to …（= 動詞の原形）で「…することを嫌う」を意味します。hate to lose one's job（失業したくない）のように使います。

- invention は名詞で「発明」。ことわざに「必要は発明の母。」というものがありますが、Necessity is the mother of invention. というように、invention が使われています。

- lonely は形容詞で「孤独な」。人に対してだけではなく、a lonely island（孤島）のようにも使います。

16 病気・医療

file-30

海外で病院に行く機会はなかなかないと思いますが、自分の体調を説明できる力はいざというときに必要です。

- □ have a headache 頭痛がする
- □ have a sore back 背中が痛む
- □ apply a plaster ばんそうこうをはる
- □ take an X-ray レントゲン写真を撮る
- □ be hospitalized 入院する

hospital で「病院」、hospitalize で「入院させる」の意味。

---

320 気持ちが悪いです。
I feel sick.

321 めったに風邪を引かない
seldom catch a cold

322 健康に気を使わない
neglect my health

323 肌が赤くヒリヒリしている
have red sore flesh

324 複雑な手術
a complicated operation

325 医者としての資格を取る
qualify as a doctor

326 保健室の先生
a school nurse

327 薬を飲み込む
swallow medicine

Round 1	Round 2	Round 3	Round 4	Round 5	Round 6
Start	Review	Review	Review	Review	Review
月　　日	月　　日	月　　日	月　　日	月　　日	月　　日

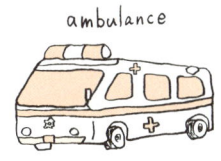

ambulance

a rescue vehicle

have a mild fever

▸ feel sick で「気持ちが悪い」を意味します。反対の意味を表す表現は feel well（体調がよい）です。

▸ catch a cold で「風邪を引く」を意味します。同じ意味を表す表現には get a cold や take cold などがあります。seldom は副詞で「めったに…しない」。

▸ neglect は動詞で「～を軽視する」。health は名詞で「健康」。

▸ sore は形容詞で「痛い、ヒリヒリする」。類義語に painful があります。flesh は名詞で「肌」。肌の色は fair（白い）や dark（浅黒い）で表すことができます。

▸ operation は名詞で「手術」。a delicate operation（難しい手術）や a serious operation（大手術）のように使います。complicated は形容詞で「複雑な」。

▸ qualify as ～で「～としての資格を取る」を意味します。qualify as an expert（専門家としての資格を取る）や qualify as a nurse（看護師としての資格を取る）のように使います。

▸ nurse は名詞で「看護師」。直訳で「学校にいる看護師」ですので、「保健室の先生」となります。

▸ swallow は動詞で「～を飲み込む」。medicine は名詞で「薬」。類義語に drug があります。単に「薬を飲む」と言いたい場合、take medicine を使います。

16 病気・医療

file-30

328 咳を和らげる
relieve a cough

329 風邪の治療薬
a remedy for colds

330 猛毒
a deadly poison

331 蜂刺され
a bee sting

332 折れた骨
a broken bone

333 病院にいる患者
a patient in a hospital

334 かなり気持ちが悪い
feel rather ill

335 脚にケガをする
hurt *my* leg

336 腹痛
a stomach ache

337 膝関節
the knee joint

338 喉が痛い
have a sore throat

Round 1	Round 2	Round 3	Round 4	Round 5	Round 6
Start	Review	Review	Review	Review	Review
月　　日	月　　日	月　　日	月　　日	月　　日	月　　日

▸ relieve は動詞で「〜を和らげる」。relieve your headache（頭痛を和らげる）のように使います。cough は名詞で「咳」。

▸ remedy は名詞で「治療（薬）」。類義語に cure があります。a remedy against the disease（その病気の治療薬）のように、for の代わりに against を使うこともできます。

▸ deadly は形容詞で「命にかかわる」。poison は名詞で「毒（薬）」。反意語は medicine（薬）です。

▸ bee は名詞で「蜂」。sting は名詞で「刺すこと」。an insect sting（虫に刺された傷）のように使います。また、sting は動詞で「〜を刺す」という意味があり、An ant stung me.（アリが私を刺した）のように使います。

▸ broken は形容詞で「折れた、壊れた」。a broken leg（骨の折れた脚）のように使われます。bone は名詞で「骨」。

▸ patient は名詞で「患者」。be a patient of Dr.Saito で「サイトウ医師（医者）にかかっている」を意味します。

▸ feel ill で「気持ちが悪い」を意味します。ill の代わりに sick を使っても、似た意味を表すことができます。rather は形容詞で「かなり」。

▸ hurt は動詞で「〜を傷つける」。hurt one's back（背中を痛める）のように、外傷だけではなく、単なる痛みを表す際にも使うことができます。

▸ ache は名詞で「痛み」。具体的に痛む箇所だけではなく、a dull ache（鈍痛）や a terrible ache（ひどい痛み）を表すときにも使います。

▸ joint は名詞で「関節」。the shoulder joint（肩関節）のように使います。

▸ throat は名詞で「喉」。have a sore ankle（足首が痛い）のように、sore は痛むところを形容する際に使います。

16 病気・医療

file-30

339 肺の病気を<u>治療する</u>
cure a disease of the lungs

340 <u>微熱がある</u>
have a mild fever

341 <u>咳</u>風邪を引いている
have a chest cold

342 <u>身体に害はない</u>
do no bodily harm

343 <u>傷を治す</u>
heal a wound

344 ひどい<u>擦り傷</u>
an ugly scrape

345 <u>救急車</u>
a rescue vehicle

346 <u>医療機器</u>
medical instruments

347 <u>心臓発作になる</u>
have a heart attack

Round 1	Round 2	Round 3	Round 4	Round 5	Round 6
Start	Review	Review	Review	Review	Review
月　日	月　日	月　日	月　日	月　日	月　日

▶ cure は動詞で「～を治療する」。disease は名詞で「病気」。dis（否定）+ease（安楽）という単語の成り立ちから覚えておきましょう。lung は名詞で「肺」。

▶ have a fever で「熱がある」を意味します。mild は形容詞で「程度が軽い」。mild fever（微熱）に対して、「高熱」は high fever と表します。

▶ have a cold で「風邪を引いている」を意味します。catch a cold（風邪を引く）に対して、風邪を引いている状態を表す表現です。chest は名詞で「胸、肺」。

▶ do no harm で「害を及ぼさない」を意味します。bodily は形容詞で「肉体の」。類義語に physical があります。

▶ heal は動詞で「～を治す」。類義語に cure がありますが、heal は外傷について用いることが多いです。wound は名詞で「傷」。ケンカや戦争で負った傷に使われます。事故による傷には使われません。

▶ scrape は名詞で「擦り傷」。「少しの擦り傷」と言いたい場合には、a slight scrape と表します。

▶ rescue は名詞で「救助」。カタカナで「レスキュー」と言われています。vehicle は名詞で「乗り物」。「救急車」は ambulance と言い換えることもできます。

▶ medical は形容詞で「医療の」。a medical record は「カルテ」のことを表します。instrument は名詞で「道具」。

heart attack で「心臓発作」を意味します。heart は体の中心ですので、「中心」という意味もあります。

17 身体

身体に関する表現は自分の身体をイメージしながら、声に出して覚えるとよいでしょう。意味と語句の結びつきを記憶しやすくなります。

- blow *my* nose — 鼻をかむ
- have a bloody nose — 鼻血が出る
- have a stiff neck — 肩がこる
- weigh *myself* — 体重を量る
- break *my* right arm — 右腕を骨折する
- wash *my* hair — 洗髪する

348 痛い手首
a sore wrist

349 膝を曲げる
bend *my* knee

350 満腹である
have a full stomach

351 内臓
internal organs

352 顎ひげを生やす
grow a beard

353 男性と女性
male and female

354 鼻を殴る
punch in the nose

355 巻き毛である
have curly hair

Round 1	Round 2	Round 3	Round 4	Round 5	Round 6
Start	Review	Review	Review	Review	Review
月　日	月　日	月　日	月　日	月　日	月　日

bend her knees

punch in the nose

▸ wrist は名詞で「手首」。wristband が手首に巻く「リストバンド」とカタカナで使われているので、わかりやすいでしょう。

▸ bend は動詞で「〜を曲げる」。knee は名詞で「膝」。「膝を立てる」と言いたい場合は、draw up one's knee と表します。

▸ stomach は名詞で「腹」。full stomach で「満腹」を意味します。反対の意味を表す「空腹」は empty stomach と言うことができます。

▸ internal は形容詞で「内部の」。organ は名詞で「器官、臓器」。digestive organs（消化器官）のように使います。

▸ beard は名詞で「顎ひげ」。関連する表現として、mustache（口ひげ）や whiskers（ほおひげ）があります。ひげの濃さや薄さは、a heavy beard（濃いひげ）や a light beard（薄いひげ）のように表します。

▸ male は名詞で「男性」。female は名詞で「女性」。man（男性）や woman（女性）に比べて、人の性別を示すときに使うことが多いですが、「雄」「雌」を表すときにも使います。

▸ nose は名詞で「鼻」。「顎を殴る」と言いたい場合、punch in the jaw と表します。jaw は名詞で「顎」。

▸ curly は形容詞で「巻き毛の」。関連する表現として、「真っ直ぐな毛」はカタカナで「ストレートヘア」と言うように、straight hair と表します。なお、hair は複数形では使いません。

17 身体

356 足が小さい
have small feet

357 指4本と親指1本
four fingers and one thumb

358 すべすべした肌
smooth skin

359 彼女にキスをする
kiss *her* lips

360 髪をくしでとかす
comb *my* hair

361 背中の上のほうが痛い
have upper back pain

362 脳を使う
use *my* brains

363 肩幅が広い
have broad shoulders

364 入れ歯
an artificial tooth

Round 1	Round 2	Round 3	Round 4	Round 5	Round 6
Start	Review	Review	Review	Review	Review
月　　日	月　　日	月　　日	月　　日	月　　日	月　　日

- feet は名詞で、foot（足）の複数形。「足が大きい」と言いたい場合、small の代わりに large を使います。

- finger は名詞で「指」。普通、thumb（親指）を除きます。「足の指」は toe で表すことができます。

- skin は名詞で「肌」。smooth は形容詞で「すべすべした」。反意語は rough（ざらざらした）です。

- kiss は動詞で「〜にキスをする」。lip は名詞で「唇」。単数形の lip は片方の唇を表します。

- comb は名詞で「くし」という意味がありますが、動詞で「〜をくしでとかす」という意味もあります。

- upper は形容詞で「上部の」。反意語は lower（下部の）です。pain は名詞で「痛み」。類義語に ache があります。

- brain は名詞で「脳」。通常、複数形で使います。「脳を使う」とはつまり、「頭を使う」ことです。

- broad は形容詞で「広い」。類義語に wide があり、反意語に narrow（狭い）があります。

- artificial は形容詞で「人工的な」。tooth は名詞で「歯」。直訳の「人工的な歯」から「入れ歯」という日本語訳が出てきます。have a sore tooth（歯が痛い）や have a toothache（歯が痛い）のように使います。

18 自然・天気

file-32

自然や天気に関することは日本語でも口にすることが多いですが、いざ英語にしようとすると出てこないものです。

- [ ] take shelter from the rain　雨宿りする
- [ ] put up *my* umbrella　傘をさす
- [ ] let up　雨があがる
- [ ] chance of rain　降水確率
- [ ] sudden rain　にわか雨

shelter は「避難所」の他に、「待合所・雨宿りの場所」の意味。

---

365 **ひどい天気である**
have terrible weather

366 **極寒を経験する**
experience extreme cold

367 **日差し**
the rays of the sun

368 **光を反射する**
reflect a beam of light

369 **摂氏0度で凍る**
freeze at zero degrees Centigrade

370 **騒々しい雷**
loud thunder

371 **稲妻の光**
a flash of lightning

372 **よく晴れた青空**
a clear blue sky

Round 1	Round 2	Round 3	Round 4	Round 5	Round 6
Start	Review	Review	Review	Review	Review
月　日	月　日	月　日	月　日	月　日	月　日

toward the far horizon　　the rays of the sun

> terribleは形容詞で「ひどく悪い」。very badと言い換えることができます。天気の悪さを言う場合に限って、inclementを使って「ひどく悪い」ことを表すことができます。

> experienceは動詞で「～を経験する」。extremeは形容詞で「極端な、極度の」。coldは名詞で「寒さ」。

> rayは名詞で「光線」。receive the rays of the sun（日光を受ける）のように使います。

> reflectは動詞で「～を反射する」。beamは名詞で「光線」。rayと同じ意味で使われます。カタカナで「ビーム」と言われている単語です。lightは名詞で「光」です。

> freezeは動詞で「凍る」。degreeは名詞で「(温度などの) 度」。Centigradeは名詞で「摂氏度」。Celsiusが類義語で、氷点を0度、沸点を100度とした温度計測法に従うものです。

> loudは形容詞で「耳障りな、うるさい」。loud music（騒々しい音楽）のように使います。thunderは名詞で「雷」。thunderは「雷鳴」を指し、類義語のlightningは「稲妻」を指します。

> flashは名詞で、カタカナの「フラッシュ」からわかるように、「閃光」を表します。lightningは名詞で「稲妻」。

> clearは形容詞で「晴れた」。類義語にfairがあります。blue skyはa light blue sky（明るい青空）のようにも使います。

18 自然・天気

373 月は潮流に影響する
the moon influences the tides

374 穏やかな天気
calm weather

375 厚い灰色の雲
heavy grey clouds

376 傘を持っていく
take an umbrella

377 氷で滑って転ぶ
slip on ice

378 岩のように堅い
as solid as a rock

379 腐った木の大枝
a decayed tree limb

380 さわやかな秋空
the crisp autumn air

381 遠い地平線のほうへ
toward the far horizon

382 気温の急激な低下
a sudden drop in temperature

383 泥に沈む
sink in the mud

Round 1	Round 2	Round 3	Round 4	Round 5	Round 6
Start	Review	Review	Review	Review	Review
月　　日	月　　日	月　　日	月　　日	月　　日	月　　日

▸ influence は動詞で「〜に影響する」。tide は名詞で「潮流、潮の干満」。「満潮」であることは high tide で表し、「干潮」は low tide で表します。

▸ calm は形容詞で「穏やかな」。a calm sea（穏やかな海）のように使います。反意語は stormy（嵐の）です。

▸ heavy は形容詞で「重い」。「薄い雲」という反対の意味を表したいときには、light cloud のように言います。

▸ take は動詞で「〜を持っていく」。umbrella は名詞で「傘」。「傘をさす」と言いたい場合、open an umbrella や put up an umbrella のように言います。反対に、「傘を閉じる」は close an umbrella と言います。

▸ slip は動詞で「滑って転ぶ」。意図的に滑る場合には、slide を使います。ice は名詞で「氷」。

▸ solid は形容詞で「堅い」。類義語に hard や firm などがあります。as 〜 as a rock で「岩と同じくらい〜」を意味します。

▸ decayed は形容詞で「腐敗した」。類義語に damaged があります。limb は名詞で「大枝」。main branch で同じ意味を表すことができます。

▸ crisp は形容詞で「さわやかな、身のひきしまるような」。crisp spring day（すがすがしい春の日）のように使います。autumn は名詞で「秋」。fall も同じ意味です。

▸ horizon は名詞で「地平線、水平線」。vanish over the horizon（地平線に消える）のように使います。

▸ sudden は形容詞で「突然の」。drop は名詞で「下落」。類義語に decrease があります。下がるものは in を使って表すことをおさえておきましょう。temperature は名詞で「気温」。

▸ sink は動詞で「沈む」。sink in the pond（池に沈む）のように使います。反意語は float（浮かぶ）です。mud は名詞で「泥」。

18 自然・天気

file-32

384 浅い湖
a shallow lake

385 泥で濁った川
a muddy river

386 外は凍えるほど寒い。
It's freezing outside.

387 涼しい風
a cool breeze

388 洪水に遭う
suffer from a flood

389 海に浮かぶ
float on the ocean

390 たくさんの星が見える
see a bunch of stars

Round 1	Round 2	Round 3	Round 4	Round 5	Round 6
Start	Review	Review	Review	Review	Review
月　　日	月　　日	月　　日	月　　日	月　　日	月　　日

> shallow は形容詞で「浅い」。shallow dish（浅い皿）のように使います。反意語は deep（深い）です。

> muddy は形容詞で「濁った」。前に紹介した mud（泥）の形容詞形です。muddy trail（ぬかるんだ小道）のように使います。

> freezing は形容詞で「極寒の」。cold を使って寒さを表すことができますが、寒さを強調したいときに、freezing cold のように言うことができます。

> cool は形容詞で「涼しい」。breeze は名詞で「そよ風」。類義語に wind があります。

> suffer from ~で「~に苦しむ、悩まされる」を意味します。flood は名詞で「洪水」。

> float は動詞で「浮かぶ」。反意語は sink（沈む）です。ocean は名詞で「海」。sea より大きな海に使用する単語です。

> a bunch of ~で「たくさんの~」を意味します。bunch は名詞で「束、かたまり」。a bunch of roses（バラの花束）のように使います。

19 科学

英語で「面積」はsquare、「体積」はcubic です。$A^2 + B^3 = C^4$ は、A squared plus B cubed equals C to the fourth power. と読みます。

- ☐ 100 degrees Celsius　　摂氏100度
- ☐ 212 degrees Fahrenheit　　華氏212度
- ☐ 1 inch　　1インチ（＝2.54cm）
- ☐ 1 foot　　1フィート（＝30.48cm=12inches）
- ☐ 1 yard　　1ヤード（＝0.9144m=3feet）
- ☐ 1 mile　　1マイル（＝1.609m）

391　距離をキロ単位で測る

measure distances in kilometers

392　バンと爆発する

explode with a bang

393　原因を特定する

determine the causes

394　仮説を証明する

prove a theory

395　証拠を分析する

analyze evidence

396　縦、幅、高さ

length, width and height

397　中空管

a hollow tube

398　急に燃え上がる

burst into flame

Round 1	Round 2	Round 3	Round 4	Round 5	Round 6
Start	Review	Review	Review	Review	Review
月　　日	月　　日	月　　日	月　　日	月　　日	月　　日

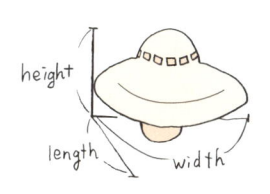

$$\frac{d}{d\tau}p^{\mu} = F^{\mu}$$

$$E^2 = m^2c^4 + p^2c^2 = \left(\frac{m}{\sqrt{1-v^2/c^2}}\right)^2 c^4$$

$$E = mc^2$$

prove a theory

▸ measure は動詞で「〜を測る」。measure blood pressure（血圧を測る）のように使います。distance は名詞で「距離」。

▸ explode は動詞で「爆発する」。bang は名詞で「バンと爆発する音」。

▸ determine は動詞で「〜を決定する」。類義語に decide があります。cause は名詞で「原因」。cause and effect（原因と結果）のように使います。

▸ prove は動詞で「〜を証明する」。prove a direct relationship（直接的な関係を証明する）のように使います。theory は名詞で「仮説」。類義語に hypothesis があります。

▸ analyze は動詞で「〜を分析する」。analyze a problem（問題を分析する）のように使います。evidence は名詞で「証拠」。類義語に proof があります。

▸ length は名詞で「長さ」。width は名詞で「広さ」。height は名詞で「高さ」。それぞれ long（長い）、wide（広い）、high（高い）の名詞形です。

▸ hollow は形容詞で「空の」。反意語は solid（中身がつまっている、個体の）。tube は、カタカナで「チューブ」と言われるように、「管」を表します。

▸ burst into 〜で「急に〜の状態になる」を意味します。burst into tears（急に泣き出す）のように使います。flame は名詞で「炎」。

19 科学

399 接触不良
a **loose connection**

400 予想された結果
probable result

401 量の減少
a **decrease** in volume

402 魚は産卵で繁殖する
fish **reproduce by** laying eggs

403 病気になっていないか動物を検査する
screen animals **for** diseases

404 彼の行動を観察する
observe *his* behavior

405 宇宙を調査する
explore the universe

406 柔構造の建物を建てる
build a **flexible structure**

407 純金でできている
made of pure gold

408 謎を解明する
figure out a mystery

Round 1	Round 2	Round 3	Round 4	Round 5	Round 6
Start	Review	Review	Review	Review	Review
月　日	月　日	月　日	月　日	月　日	月　日

▶ loose は形容詞で「ゆるんだ」。connection は名詞で「つなぐこと、接続」。「接続がゆるんだ」ことから「接触不良」という意味になっています。

▶ probable は形容詞で「起こりそうな」。result は名詞で「結果」。類義語に outcome や effect があります。

▶ decrease は名詞で「減少」。反意語は increase（増加）です。減少したり増加したりするものを続ける際は in を使います。volume は名詞で「量」。類義語は quantity があります。

▶ reproduce は動詞で、単語のつくりが re（再び）+produce（生産する）となっているところから、「繁殖する」という意味となります。lay eggs で「産卵する」という意味です。

▶ screen は動詞で「〜の検査をする」。類義語は examine です。screen John for cancer（ジョンががん検診を受ける）のように使います。disease は名詞で「病気」。

▶ observe は動詞で「〜を観察する」。watch より堅い意味の単語です。behavior は名詞で「行動、ふるまい」。

▶ explore は動詞で「〜を調査する」。類義語に research があります。universe は名詞で「宇宙」。

▶ build は動詞で「〜を建てる」。flexible は形容詞で「柔軟な」。structure は名詞で「構造、建物」。build a flexible building と言い換えてもよいでしょう。

▶ (be) made of 〜で「〜からできている」を意味します。「〜」には「材料」がきます。物から材料が想起できる、目に見える場合に使います。

▶ figure out 〜で「〜を解明する、理解する」を意味します。他にも「算定する、見つけ出す」といった様々な意味があります。mystery は名詞で「謎」。類義語に riddle があります。

verb 15 大切な基本動詞　put

- セーターを着る
  put on a sweater

- 方針をはっきりと効果的に伝える
  put across policies clearly

- ファイルを片付ける
  put away files

- 開店日を遅らせる
  put back the opening day

- 他の人々に悪口を言う
  put other people **down**

- 新しいアイデアを提出する
  put forward new ideas

- 会議を延期する
  put off the meeting

verb 16 大切な基本動詞　back

- ヘビから後ずさりする
  back away from a snake

- 後退する、手を引く、撤回する
  back off

- 後退する、取り消す、撤回する
  back down

put → おく

計画をやり遂げる
put through a plan

いいチームを作る
put together a good team

フェンスを立てる
put up a fence

火を消す
put out a fire

back → うしろにひく

20 学校

学校で使う表現を紹介しますが、意外と英語で言うことのできない文房具を最初にチェックしておきましょう。

☐	scissors	はさみ
☐	glue	のり
☐	ruler	ものさし
☐	highlighter pen	蛍光ペン
☐	mechanical pencil	シャープペンシル
☐	whiteout	修正液

409 文法が難しいとわかる
find grammar **to be difficult**

410 単語を声に出して言う
say the word **aloud**

411 4に6を掛ける
multiply 4 **by** 6

412 単語を正しく発音する
pronounce a word **correctly**

413 規則的なパターン
a regular pattern

414 ページに写真をのりで貼る
paste a photo **on** the page

415 盗みをした子どもを叱る
scold a child **for** stealing

416 私に答えを確認するよう思い出させて。
Remind *me* **to check** the answers.

Round 1	Round 2	Round 3	Round 4	Round 5	Round 6
Start	Review	Review	Review	Review	Review
月　日	月　日	月　日	月　日	月　日	月　日

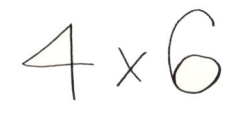

4 × 6

multiply 4 by 6

四月の気層のひかりの底を
唾し はぎしり ゆききする
おれは ひとりの修羅なのだ
　　　　　　　　賢治

compose a poem

▶ find ~ to be …で「~が…であるとわかる」を意味します。find Ken to be friendly（ケンは友好的だとわかる）のように使います。grammar は名詞で「文法」。

▶ say aloud で「声に出して言う」を意味します。aloud は副詞で「声に出して」。read a poem aloud（詩を朗読する）のように使います。

▶ multiply は動詞で「~に掛ける」。掛ける相手は by で表すことに注意しましょう。反意語の「割る」は divide を使って表します。

▶ pronounce は動詞で「~を発音する」。correctly は副詞で「正しく」。類義語に accurately や properly があります。

▶ regular は形容詞で「規則的な」。反意語は irregular（不規則な）です。pattern は名詞で「パターン」。他にも「手本」「原型」などの意味があります。

▶ paste は動詞で「~をのりで貼る」。貼る場所は on を使って表します。photo は名詞で「写真」。photograph を短縮した単語です。

▶ scold は動詞で「~を叱る」。叱った理由を伴って「~を…で叱る」と言いたい場合は、scold 人 for …で表します。反意語の「褒める」は praise です。steal は動詞で「~を盗む」。

▶ remind は動詞で「~に思い出させる」。remind 人 to …（＝動詞の原形）で「(人)に…するよう思い出させる」という意味です。check は動詞で「~を調べる」。

20 学校

417 まっすぐな線を描く
draw a straight line

418 語彙の反復練習をする
practice vocabulary frequently

419 受賞する
receive a prize

420 (物・事) に好奇心を抱いている
be curious about *something*

421 詩を書く
compose a poem

422 ペンか鉛筆を借りる
borrow a pen or pencil

423 ピアノのレッスンを受ける
take piano lessons

424 机の上をきれいにしておく
keep *your* desk clean

425 部屋を横切って椅子を引きずる
drag a chair across a room

426 質問をする
ask a question

427 単純な物語を話す
tell a simple story

Round 1	Round 2	Round 3	Round 4	Round 5	Round 6
Start	Review	Review	Review	Review	Review
月　日	月　日	月　日	月　日	月　日	月　日

▸ draw は動詞で「〜を描く」。draw a circle (丸を描く)のように使います。straight は形容詞で「まっすぐな」。line は名詞で、カタカナで「ライン」となっているように、「線」を意味します。

▸ practice は動詞で「〜を練習する」。vocabulary は名詞で「語彙」。frequently は副詞で「頻繁に」。「反復練習をする」と言いたい場合に、practice repeatedly のように言うこともできます。

▸ receive は動詞で「〜を受け取る」。prize は名詞で「賞」。類義語に award があり、receive an award と言うことができます。

▸ curious は形容詞で「好奇心が強い」。好奇心を抱く対象は about で表すことをおさえておきましょう。反意語は indifferent (無関心な) です。

▸ compose は動詞で「〜を構成する、創作する」。compose a piece of music (作曲する) のように使います。poem は名詞で「詩」。

▸ borrow は動詞で「〜を借りる」。他の人の物を一時的に、許可を得て使用する場合に、この単語を使います。賃料が発生して、物を借りる場合は、rent を使います。

▸ take lessons で「レッスンを受ける」を意味します。レッスンをしてくれる人を示したい場合には、take lessons from 人のように、from を使って示します。

▸ keep 物・事 +…で「(物・事)を…にしておく、保つ」という意味になります。ここでは、「your desk (あなたの机) を clean (きれいな) 状態にしておく」というのが直訳となります。

▸ drag は動詞で「〜を引きずる」。across は前置詞で「〜を横切って」。

▸ ask は動詞で「〜を尋ねる」。question は名詞で「質問」。raise a question でも「質問をする」という意味を表すことができます。

▸ tell a story で「話をする」を意味します。tell a personal story (個人的な話をする) のように使います。simple は形容詞で「単純な」。

20 学校

428 勉強するフリをする
pretend to study

429 子どもに教室から出て行くように言う
dismiss the children from class

430 彼に本を貸す
lend *him* a book

431 一枚の紙
a sheet of paper

432 絵画用の額縁
a picture frame

433 校庭で遊ぶ
play in the school yard

434 複数のグループに分けられる
divided into several groups

435 ルールを破る
break a rule

436 ばかなことをする
a foolish thing to do

Round 1	Round 2	Round 3	Round 4	Round 5	Round 6
Start	Review	Review	Review	Review	Review
月　　日	月　　日	月　　日	月　　日	月　　日	月　　日

▶ pretend to …（= 動詞の原形）で「…するフリをする」を意味します。pretend to be sick（仮病を装う）や pretend to listen（聞いているフリをする）のように使います。

▶ dismiss は動詞で「〜を去らせる」。dismiss 人 from school のように使うと、「（人）を退学させる」という意味になります。

▶ lend は動詞で「〜を貸す」。lend 人＋物で「（人）に（物）を貸す」という意味になることを覚えておきましょう。反対の意味を表す表現は、borrow a book from someone（（人）から本を借りる）です。

▶ a [two, three, …] sheet(s) of 〜を使って、紙の数を数えています。a sheet of cloth（布1枚）のように使います。

▶ frame は名詞で「額縁」。カタカナで「フレーム」と言われます。他にも、「骨組み」「背景」といった意味があります。

▶ school yard で「校庭」を意味します。yard は名詞で「庭」。

▶ divided は動詞 divide（〜を分ける）の過去分詞形です。divide 〜 into …（〜を…に分ける）という形が元になっています。several は形容詞で「いくつかの」。

▶ break は動詞で「〜を破る、壊す」。rule は名詞で、カタカナになっているように、「ルール」を表します。「ルールを破る」と言いたい場合、disobey a rule と表すこともできます。

▶ foolish は形容詞で「ばかな」。類義語に ridiculous や stupid などがあります。また、反意語には wise（賢い）や sensible（思慮深い）があります。

21 大学

MBA（Master of Business Administration）経営学修士、PhD（Doctor of Philosophy）博士、MD（Doctor of Medicine）医学博士などもおさえておきましょう。

- ☐ pass the exam 　　試験に合格する
- ☐ listening comprehension test 　　リスニング試験
- ☐ solve an equation 　　方程式を解く
- ☐ repeat the same grade 　　留年する
- ☐ drop behind 　　おちこぼれる

---

437 特定のタイトル
a specific title

438 特定の課題
a particular unit

439 大変な課題を課される
get a tough assignment

440 講義のノートを写す
copy class notes

441 ドイツ語の小説からの一節
a passage from a German novel

442 data は datum の複数形である
data is the plural of datum

443 大学で工学を専攻する
major in engineering at university

444 春学期の間に
during the spring term

master a foreign language

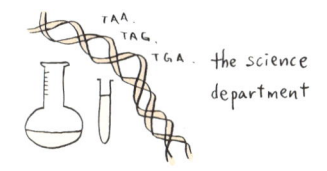

the science department

- specific は形容詞で「特定の」。類義語に particular があります。title は名詞で、本や映画などの「タイトル」とカタカナになっている単語です。

- particular は形容詞で「特定の」。類義語に specific があります。unit は名詞で「1つの単位」を表します。ここでは「課題」という意味で使われています。

- tough は形容詞で「大変な」。tough task（大変な課題）のように使います。他にも、「堅い」「じょうぶな」といった意味もあります。assignment は名詞で「課題」。

- copy は動詞で「～を写す」。関連した表現で、copy down notes（ノートを取る）を一緒に覚えておきましょう。

- passage は名詞で「一節」。a passage in a book（本の中の一節）のように使います。novel は名詞で「小説」。

- data は名詞で「データ、情報」。datum の複数形です。plural は名詞で「複数（形）」。反意語の「単数（形）」は singular です。

- major in ～で「～を専攻する」を意味します。同じ意味の表現に、specialize in ～があります。学問名は economics（経済学）や biology（生物学）、literature（文学）、psychology（心理学）など様々です。

- during は前置詞で「～の間に」。spring term は「春学期」。term（学期）の類義語に quarter や semester があります。

21 大学

445 外国語を習得する
master a foreign language

446 教育水準の高い人
a **highly educated** person

447 (物・事)を英語に翻訳する
translate *something* **into** English

448 フランスの文学作品を読む
read French **literature**

449 理学部
the **science department**

450 試験でカンニングをする
cheat on an **examination**

451 教授に不満を述べる
complain to a professor

452 辞書を参照する
refer to a dictionary

453 それは私にとってよくわからなかった。
It was **nonsense** to me.

454 暇はない
never an **idle moment**

455 テストの復習をする
review for a test

Round 1	Round 2	Round 3	Round 4	Round 5	Round 6
Start	Review	Review	Review	Review	Review
月　日	月　日	月　日	月　日	月　日	月　日

▶ master は動詞で「〜を習得する」。単純に「習う」だけではなく、「極める」意味合いが含まれています。master a technique（技術を習得する）のように使います。

▶ highly は副詞で「非常に」。educated は形容詞で「教養のある」。反意語は uneducated。ともに、education（教育）から派生した単語です。

▶ translate は動詞で「〜を翻訳する」。translate 〜 into …で「〜を…に翻訳する」という形でおさえておきましょう。

▶ literature は名詞で「文学（作品）」。popular literature（大衆文学）のように使います。

▶ department は名詞で「学部」。sociology department（社会学部）や commerce department（商学部）のように使います。

▶ cheat は動詞で「カンニングをする、イカサマをする」「騙す」。cheat at cards（トランプでイカサマをする）のように使います。examination は名詞で「試験」。exam と省略されることもあります。

▶ complain は動詞で「不満を述べる」。不満を述べる相手は to で表します。complain to one's parents（両親に不満を述べる）のように使います。professor は名詞で「教授」。

▶ refer to 〜で「〜を参照する」を意味します。refer to the manual（説明書を参照する）のように使います。

▶ nonsense は形容詞で「意味をなさない」。non (=no) +sense（意味）という単語のつくりから意味がわかるでしょう。

▶ idle は形容詞で「怠けた」「仕事をしていない」。moment は名詞で「瞬間」。「何もしていない瞬間はない」という直訳から、「暇はない」という意味になります。

▶ review は動詞で「復習する」。re（再び）+view（見る）という単語のつくりになっているので覚えやすいでしょう。

verb 17 大切な基本動詞　stand

計画に反対する
stand against the plan

ピンク色の車が目立つ。
Pink cars **stand out**.

友だちの味方をする
stand by a friend

IQ は知能指数を表す。
IQ **stands for** intelligence quotient.

verb 18 大切な基本動詞　take

母親に似ている
take after *my* mother

(人)が言ったことを取り消す
take back what *someone* said

新しい情報を取り入れる
take in new information

新しい責任を負う
take on new responsibilities

ファイルを取り出す
take out a file

飛行機は離陸した。
The plane **took off**.

stand → たつ

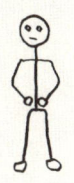

立ち上がる
stand up

take → とる、うけとる

とる
（来たものを）とる

（人）を好きになる
take to *someone*

ジョギングを始める
take up jogging

社長の職務を引き継ぐ
take over the president's duties

22 服

服に関する和製カタカナ語も多いですから気を付けましょう。「ズボン」は pants、「パンツ」は underpants / underwear、「トレーナー」は sweatshirt、「チャック」は zipper です。

- sweatshirt — トレーナー
- a dress shirt — ワイシャツ
- try on — 試着する
- undo *my* buttons — ボタンをはずす
- dress down — カジュアルな服装をする

---

456 1足の靴を磨く
polish a pair of shoes

457 ゴム製のウエストバンド
an elastic waist band

458 ストッキングを履く
put on stockings

459 間違ったサイズのものを手に入れる
get the wrong size

460 厚さ3インチ
3 inches thick

461 高さ6フィート
6 feet tall

462 シャツにボタンを縫い付ける
sew a button on a shirt

463 尖ったピンと針
sharp pins and needles

Round 1	Round 2	Round 3	Round 4	Round 5	Round 6
Start	Review	Review	Review	Review	Review
月　日	月　日	月　日	月　日	月　日	月　日

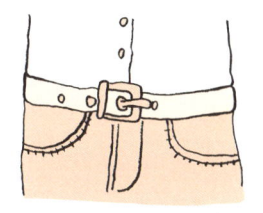

polish a pair of shoes　　wear a leather belt

> polish は動詞で「～を磨く」。a [two, three, …] pair(s) of ～を使って、数を数えています。a pair of gloves（手袋1組）や a pair of socks（靴下1足）のように使います。

> elastic は形容詞で「ゴムひもでできた」。「伸縮自在の」という意味もあります。waist は名詞で「腰」。band は名詞で「ひも」。

> put on で「～を身につける」。着る動作を表します。動詞 wear は「～を身につけている」という状態を表すので、違いに注意しましょう。stockings は名詞で「ストッキング、靴下」。複数形で使うのが普通です。

> wrong は形容詞で「間違った」。類義語に incorrect があります。反意語は correct（正しい）です。

> inch は名詞で「インチ」。1インチは約2.5センチで、長さの単位です。thick は形容詞で「厚い」。反意語は thin（薄い）です。

> feet は名詞 foot の複数形で、長さの単位を表す「フィート」です。1フィートは約30.5センチです。tall は形容詞で「高い」。反意語は short（短い）です。

> sew は動詞で「～を縫う」。縫い付ける先は on を使って表します。sew a button on a blouse（ブラウスにボタンを縫い付ける）のように使います。button は名詞で「ボタン」。shirt は名詞で「シャツ」。

> sharp は形容詞で「尖った、鋭い」。反意語は dull（切れない）です。pin は名詞で「ピン」。needle は名詞で「針」。

22 服

464 糸を切る
cut a thread

465 綿のひも
a cotton strap

466 布を織る
weave cloth

467 毛皮のコート
a fur coat

468 ペールピンクのリボン
pale pink ribbons

469 フォーマルスーツ
a formal suit

470 革のベルトを身につけている
wear a leather belt

471 ポケットを空にする
empty *my* pockets

472 厚手のウールの靴下
thick wool socks

473 堅い襟のついたジャケット
a jacket with a stiff collar

474 薄手の綿のジャケット
a thin cotton jacket

Round 1	Round 2	Round 3	Round 4	Round 5	Round 6
Start	Review	Review	Review	Review	Review
月　日	月　日	月　日	月　日	月　日	月　日

▶ cut は動詞で「〜を切る」。thread は名詞で「糸」。sew with thread（糸で縫う）や hold a thread tight（糸をピンと張っておく）のように使います。

▶ cotton は名詞で「綿」。cotton blanket（タオルケット）のように使います。strap は名詞で「ひも」。首から携帯電話などをつるす neck strap（ネックストラップ）のように使います。

▶ weave は動詞で「〜を織る」。weave a rug（じゅうたんを織る）や weave a basket（籠を編む）のように使います。cloth は名詞で「布」。

▶ fur は名詞で「毛皮」。coat は名詞で「コート」。a leather coat（革のコート）や a cashmere coat（カシミヤのコート）のように使います。

▶ pale は形容詞で「薄い、淡い」。pale pink で「淡いピンク色」を表しています。ribbon は名詞で「リボン」。

▶ formal は形容詞で「形式的な」。反意語には informal（形式張らない）や casual（ふだん着）があります。suit は名詞で「スーツ」。「スーツを着込んで」と言いたいときには、in a suit で表すことができます。

▶ wear は動詞で「〜を身につけている」。着ている状態を表します。leather は名詞（形容詞）で「皮革（の）」。leather glove（皮手袋）や leather jacket（革のジャケット）のように使います。belt は名詞で「ベルト」。

▶ empty は動詞で「〜を空にする」。empty the glass of water（グラス1杯の水を空にする）のように使います。形容詞で「空の」という意味もあります。pocket は名詞で「ポケット」。

▶ wool は名詞で「羊毛、ウール」。socks は名詞で「靴下」。複数形で使うのが普通です。stockings とは違って、ひざまで達しないものを表します。

▶ stiff は形容詞で「堅い、硬い」。stiff hair（硬い髪）や stiff brush（堅いブラシ）のように使います。collar は名詞で「襟」。

▶ thin は形容詞で「薄い」。反意語は thick（厚い）です。名詞 jacket（ジャケット）は a linen jacket（麻のジャケット）のように使います。

22 服

475 真珠のネックレス
a pearl necklace

476 堅く結ぶ
tie a tight knot

477 色あせた青いジーンズ
faded blue jeans

478 白い線が入った茶色
brown with white stripes

479 紫色の染み
a purple stain

verb 19 大切な基本動詞　get

考えを理解させる
get an idea across

タクシーから降りる
get out of the taxi

バスに乗る
get on the bus

バスから降りる
get off the bus

タクシーに乗る
get in the taxi

Round 1	Round 2	Round 3	Round 4	Round 5	Round 6
Start	Review	Review	Review	Review	Review
月　日	月　日	月　日	月　日	月　日	月　日

▸ pearl は名詞で「真珠」。「本物の真珠」と言いたい場合は、a genuine [real] pearl と表すことができます。necklace は名詞で「ネックレス」。

▸ tie は動詞で「〜を結ぶ」。tight は形容詞で「きつい、堅い」。knot は名詞で「結び目」。日本語訳は、直訳の「堅い結び目を作る」というところから来ています。

▸ faded は形容詞で「色あせた、しおれた」。a faded flower（しおれた花）のように使います。jeans は名詞で「ジーンズ」。複数形で使うのが普通です。

▸ stripe は名詞で「線、しま」。線が入っていることを表すのに、with が使われていることに注意しましょう。a suit with a white stripe（白い線が入ったスーツ）のように使います。

▸ stain は名詞で「染み、汚れ」。a stain on a shirt（シャツに付いた染み）のように、on を伴って使います。

---

get → うごく

試験が済む
☐ **get through a test**

8時30分に起きる
☐ **get up at 8:30**

23 パーティー・イベント

file-42

パーティーやイベントにまつわる表現は、主催者側が使うものも招待された側が使うものもおさえておきましょう。食事に関係する表現が多くあります。

- [ ] propose a toast　　　　　乾杯の音頭をとる
- [ ] split the bill　　　　　　　割り勘で支払う
- [ ] order the chef's specialty　シェフのおすすめ料理を注文する
- [ ] book a table　　　　　　　（レストランの）席を予約する

toast は「乾杯」、split は「分ける」、book は「予約する」の意味。

480　しゃれたレストランを勧める
recommend a fancy restaurant

481　今夜のパーティーを主催する
host a party tonight

482　素晴らしい食事を楽しむ
enjoy an excellent meal

483　手品を見せる
perform a trick

484　ゲストを夕食に招待する
invite guests to dinner

485　ワインを注ぐ
pour a bottle of wine

486　本物のごちそうを作る
cook a real feast

487　温かい歓迎を受ける
receive a warm welcome

Round 1	Round 2	Round 3	Round 4	Round 5	Round 6
Start	Review	Review	Review	Review	Review
月　日	月　日	月　日	月　日	月　日	月　日

pour a bottle of wine

enjoy an excellent meal

▶ recommend は動詞で「〜を勧める」。recommend a film（映画を勧める）のように使います。fancy は形容詞で「上品な趣味の」。a fancy apartment（おしゃれなアパート）のように使います。

▶ host は動詞で「〜を主催する」。host a dinner（夕食をごちそうする）や host a conference（会議を主催する）のように使います。

▶ meal は名詞で「食事」。excellent はカタカナで「エクセレント」と言いますが、「素晴らしい」という意味の形容詞。a big meal（ボリュームのある食事）や an elaborate meal（凝った食事）のように使います。

▶ perform は動詞で「〜をする、演じる」。trick は名詞で「手品」。「手品をする」と言いたい場合、do a trick と表すことができます。

▶ invite は動詞で「〜を招待する」。invite 人 to 場所という形でおさえておくとよいでしょう。場所には a party（パーティー）や a reception（歓迎会）、a wedding（結婚式）などが来ます。

▶ pour は動詞で「〜を注ぐ」。pour 〜 into …で「〜を…に注ぐ」という表現となります。a [two, three, …] bottle(s) of 〜は a bottle of beer（ビール1本）や a bottle of perfume（香水1本）のように使います。

▶ cook は名詞で「料理人」が一番に思い浮かびますが、動詞で「〜を料理する」という意味があります。feast は名詞で「ごちそう」。

▶ receive は動詞で「〜を受ける」。welcome は名詞で「歓迎」。さらに、歓迎の度合いを強調するために、形容詞 warm（温かい）を使います。「冷やかな歓迎を受ける」と言う場合は、warm を cold に変えます。

24 家のあれこれ

file-43

簡単なようでも、知らないと出てきません。自分の身の周りにある物や状況と表現を結びつけて覚えるようにしましょう。

- [ ] electric bill / water bill / gas bill
       電気料金 / 水道料金 / ガス料金
- [ ] pay utilities　　光熱水費を払う
- [ ] water the plants　　植木に水をやる
- [ ] a Phillips head / a flathead screwdriver　プラス/マイナスのドライ

bill は「請求書」、utilities は「光熱水費」の意味。

488　玄関マット
a welcome mat

489　ほこりを掃除する
sweep up dust

490　カーテンレールを取り付ける
hang a curtain rod

491　ゴミを片付ける
take away rubbish

492　湿ったタオル
a damp towel

493　石鹸1個
a bar of soap

494　手作りのかご
a basket made by hand

495　虫を駆除する
get rid of insects

Round 1	Round 2	Round 3	Round 4	Round 5	Round 6
Start	Review	Review	Review	Review	Review
月　日	月　日	月　日	月　日	月　日	月　日

walk up stairs

smoke coming from the chimney

> welcome は名詞で「歓迎」。直訳では「歓迎するためのマット」となりますが、家で最初に出迎えてくれるマットだと考えれば、「玄関マット」だとわかります。1単語で doormat という言い方もあります。

> sweep up で「掃き掃除をする」という意味です。sweep up dead leaves（枯れ葉を掃く）のように使います。dust は名詞で「ほこり」。類義語に dirt があります。

> curtain は名詞で「カーテン」。アメリカ英語では drape とも言います。rod は名詞で「棒、さお」。

> take away で「取り除く、片付ける」という意味です。rubbish は名詞で「ゴミ」。類義語に garbage や trash があります。

> damp は形容詞で「湿った」。類義語に humid や moist があります。damp air（湿った空気）や damp hair（湿った髪の毛）のように使います。towel は名詞で「タオル」。

> a bar of ～は、不可算名詞の物を数えるために使います。他に、a bar of を使ったものとしては、a bar of chocolate（チョコレート1枚）や a bar of gold（金1本）などがあります。

> basket は名詞で「かご」。カタカナで「バスケット」と言われています。by hand で「手を使って」という意味で、他に「手動で」「手渡しで」などの意味もあります。

> get rid of ～で「～を取り除く」という意味です。insect は名詞で「昆虫」。アメリカ英語では bug を使います。類義語に worm があります。

24 家のあれこれ

file-43

496 草刈りをする
cut grass

497 斧を使って丸太を割る
use an axe to split logs

498 囲まれた庭
an enclosed garden

499 最新式の家具が取り付けられて
furnished in modern style

500 真ちゅうの装飾品
a brass ornament

501 高い賃料を払う
pay high rent

502 屋根を直す
fix the roof

503 ストーブに触らないで！
Don't touch the stove!

504 暖かい部屋で溶ける
melt in a warm room

505 階段を歩いて上がる
walk up stairs

506 かごの中にいるハツカネズミ
a mouse in a cage

Round 1	Round 2	Round 3	Round 4	Round 5	Round 6
Start	Review	Review	Review	Review	Review
月　日	月　日	月　日	月　日	月　日	月　日

▶ grass は名詞で「草、芝」。ちなみに、「草刈り機」は grass cutter や mower と言います。

▶ axe は名詞で「斧」。ax とも表記します。split は動詞で「～を割る」。類義語に break があります。log は名詞で「丸太」です。

▶ enclose は動詞で「～を囲む」。この単語の過去分詞形が使われています。類義語に surround があります。

▶ furnish は動詞で「～を備え付ける、取り付ける」。modern は形容詞で「現代の」。類義語に contemporary があります。反意語は antique（古風な）です。style はカタカナで「スタイル」と言われる単語です。

▶ brass は名詞で「真ちゅう」。ornament は名詞で「装飾品、飾り」。garden ornament（庭の装飾品）のように使います。

▶ pay は動詞で「～を支払う」。rent は名詞で「賃貸料」。「家賃をきちんと払う」と言いたい場合は、pay one's rent regularly と表します。

▶ fix は動詞で「～を修理する」。fix を使った例として、fix a fence（塀を修理する）や fix a car engine（車のエンジンを修理する）などがあります。roof は名詞で「屋根」。

▶ touch は動詞で「～に触る」。カタカナで「タッチする」と言われます。touch a bell（呼び鈴を鳴らす）や touch the ceiling（天井に触れる）のように使います。stove は名詞で「ストーブ」。類義語に heater があります。

▶ melt は動詞で「溶ける」。warm は形容詞で「暖かい」。反意語に cool（涼しい）があります。warm は hot と cool の中間だとおさえておくとよいでしょう。

▶ 階段などを「歩いて上がる」際に使うのが walk up です。walk up a slope（坂道を上がる）のように使います。stairs は名詞で「階段」。類義語に steps があり、ともに複数形で使うことに注意しましょう。

▶ cage は名詞で「(鳥) かご、おり」。「かごで～を飼う」と言いたい場合には、keep ～ in a cage と表現することができます。

24 家のあれこれ

file-43

---

507 茶色いレンガの家
a brown brick house

508 バラの香り
the scent of roses

509 わらぶき屋根
a straw roof

510 都心にある土地
property in an urban area

511 自然に囲まれて
surrounded by nature

512 静けさに慣れている
be accustomed to quiet

513 土の道
a dirt path

514 煙突から出ている煙
smoke coming from the chimney

515 機械を修理する道具
a tool to repair a machine

516 ハサミを探し回る
hunt for a pair of scissors

Round 1	Round 2	Round 3	Round 4	Round 5	Round 6
Start	Review	Review	Review	Review	Review
月　日	月　日	月　日	月　日	月　日	月　日

▶ brick は形容詞で「レンガ造りの」。「レンガ」という意味で名詞として使うこともあります。

▶ scent は名詞で「香り」。類義語に fragrance があります。pleasant scent（気持ちのよい香り）や a rich scent（豊潤な香り）のように使います。

▶ straw は名詞で「(麦) わら」。roof は名詞で「屋根」。a flat roof（平屋根）のように使います。

▶ property は名詞で「不動産、財産、所有物」という意味があります。urban は形容詞で「都市の、都会の」。urban の反意語は rural（田舎の）です。

▶ surround は動詞で「〜を囲む」。この単語の過去分詞形です。受動態にしたときに、後ろに by を伴うことが多いです。類義語に enclose があります。nature は名詞で「自然」。

▶ be accustomed to 〜で「〜に慣れている」という意味です。be used to 〜も同じ意味の表現として使います。quiet は名詞で「静けさ」という意味の他に、「静かな」と形容詞として使うことがあります。

▶ dirt は名詞で「泥、土」。path は名詞で「小道」。path は pathway や road という単語を代わりに使って表すことができます。「砂利道」は a gravel road という言い方をします。

▶ smoke は名詞で「煙」という意味の他に、動詞で「煙を出す、タバコを吸う」という意味があります。come from 〜で「〜から来る、出ている」という意味です。chimney は名詞で「煙突」。

▶ tool は名詞で「道具」。カタカナで「ツール」と言われている単語です。類義語に instrument や device があります。repair は動詞で「〜を修理する」。

▶ hunt は動詞で「狩りをする」という意味がありますが、hunt for 〜で「〜を探し回る」を意味します。似た意味の表現に look for 〜があります。

25 動物・農業（らく農）

file-44

意外と知らない動物の名前があるかもしれません。

- ☐ goat　　ヤギ（山羊）
- ☐ deer　　シカ（鹿）
- ☐ donkey　ロバ（驢馬）
- ☐ hippopotamus / hippo　　カバ（河馬）
- ☐ squirrel　リス（栗鼠）
- ☐ crane　　ツル（鶴）

ほか、フクロウ（梟）は owl、クジャク（孔雀）は peacock です。

---

517 ウシの群れ
a herd of cattle

518 茂みにいるウサギ
rabbits in the bushes

519 クジャクの尾
a peacock's tail

520 ネコの手（足）
a cat's paw

521 カモ猟に行く
go duck hunting

522 シカを撃つ
shoot a deer

523 ヤギとウシから乳を搾る
milk goats and cows

524 ネズミを罠にかける
trap mice

Round 1	Round 2	Round 3	Round 4	Round 5	Round 6
Start	Review	Review	Review	Review	Review
月　　日	月　　日	月　　日	月　　日	月　　日	月　　日

a bird's nest

sow seeds in the spring

▶ herd は名詞で「群れ」。a herd of deer（シカの群れ）や a herd of elephants（ゾウの群れ）のように使います。

▶ bush は名詞で「茂み」。類義語に shrub がありますが、bush のほうが自然にできた「茂み」というニュアンスを感じます。

▶ tail は名詞で「尾」。ponytail（ポニーテール）は、pony（子馬）の tail（尾）のように、髪を後ろで結んで垂らす髪型から言葉がつくられています。

▶ paw は名詞で「手（足）」。人間の手足には使わず、イヌやネコのような哺乳類の手足に使います。

▶ go hunting で「狩りに行く」を意味します。「山に狩りに行く」と言いたい場合、go hunting in the mountains と表します。

▶ shoot は動詞で「～を射撃する」。

▶ milk は名詞で「牛乳」ですが、動詞で「～から乳を搾る」という意味があります。

▶ trap は名詞で「罠」ですが、動詞で「～を罠にかける」という意味があります。mice は名詞 mouse（ネズミ）の複数形です。

25 動物・農業（らく農）

file-44

525 養豚場
a pig farm

526 雑草を抜く
pull up weeds

527 根を掘り起こす
dig up a root

528 ロープで縛る
tie with rope

529 トウモロコシの列
rows of corn

530 鳥の巣
a bird's nest

531 深い穴を掘る
dig a deep hole

532 溝を飛び越える
jump over a ditch

533 鋤を使って掘る
dig with a spade

534 はしごの下部
the bottom of the ladder

535 たくさんの干し草
a heap of hay

Round 1	Round 2	Round 3	Round 4	Round 5	Round 6
Start	Review	Review	Review	Review	Review
月　　日	月　　日	月　　日	月　　日	月　　日	月　　日

▸ farm は名詞で「農場」「飼育場」。a dairy farm（酪農場）や a fish farm（養魚場）のように使います。

▸ pull up で「〜を引き抜く」を意味します。pull out でも同じ意味を表します。weed は名詞で「雑草」。

▸ dig up で「〜を掘り起こす」を意味します。dig up a seed（種を掘り起こす）のように使います。root は名詞で「根」。

▸ tie は動詞で「結ぶ」。結ぶ道具は with を使って表します。tie a gift with red ribbon（贈り物を赤いリボンで結ぶ）のように使います。

▸ row は名詞で「列」。rows of grain（穂並）のように使います。

▸ nest は名詞で「巣」。an ants'nest（アリの巣）や a bee's nest（ハチの巣）のように使います。「巣を作る」と言いたい場合は、make [build] a nest と表します。

▸ dig は動詞で「〜を掘る」。deep は形容詞で「深い」。反意語は shallow（浅い）です。hole は名詞で、カタカナで「ホール」と言われるように、「穴」を意味します。

▸ jump over で「〜の上を飛び越える」を意味します。jump over a puddle（水たまりを飛び越える）のように使います。ditch は名詞で「溝、水路」。

▸ dig（掘る）するための道具は with を使って表します。spade は名詞で「鋤」。

▸ bottom は名詞で「底」。反意語は top（頂上）です。ladder は名詞で「はしご」。

▸ a heap of 〜で「たくさんの〜」を意味します。heap は名詞で「山、塊」。

25 動物・農業（らく農） file-44

536 春に種をまく
sow seeds in the spring

537 黄金の穀物畑
a field of golden grain

538 林立する高い松
a forest of tall pines

539 豊作
a splendid harvest

540 不作
a poor crop

541 集約農業
intensive agriculture

542 枯れ葉をかき集める
rake up dead leaves

543 バラの茎にあるトゲ
thorns on the rose stem

Round 1	Round 2	Round 3	Round 4	Round 5	Round 6
Start	Review	Review	Review	Review	Review
月　日	月　日	月　日	月　日	月　日	月　日

▶ sow は動詞で「〜をまく」。seed は名詞で「種」。sow seeds of laughter（笑いの種をまく）のように、物理的な種でなくても、「まく」行為を表すことができます。

▶ field は名詞で「畑」。a rice field（稲田）のように使います。grain は名詞で「穀物」。

▶ a forest of 〜で「林立する〜」を意味します。forest が名詞で「森」という意味であるところから、いくつも立って集まっているものを表します。pine は名詞で「松」。

▶ splendid は形容詞で「素晴らしい」。harvest は名詞で「収穫」。「豊作」は、a large harvest や a rich harvest で表すこともできます。

▶ poor は形容詞で「乏しい」「貧しい」。crop は名詞で「収穫物」。「不作」は、a bad crop や a small crop で表すこともできます。

▶ intensive は形容詞で「集中的な」。intensive cultivation（集中栽培）や intensive course（集中講義）のように使います。agriculture は名詞で「農業」。類義語に farming があります。

▶ rake up で「〜をかき集める」を意味します。形容詞 dead（死んでいる）の状態の名詞 leaves（葉）ですから、「枯れ葉」となります。

▶ thorn は名詞で「トゲ」。「トゲを抜く」と言いたい場合、draw a thorn と表します。stem は名詞で「茎」。類義語に stalk があります。

26 場所の表現

場所を表すにあたって大切なのは前置詞の理解です。「A＋前置詞＋B」となったときに、AとBの位置関係がすぐに思い浮かぶようにしておきましょう。

- the girl in a park 公園にいる女の子
- the picture on the wall 壁にかかっている絵
- the book under the table 机の下にある本
- the posters throughout the town 町中に貼られたポスター
- the school by the sea 海のそばにある学校

544 日陰で
in the shade

545 近くの公園で
in a local park

546 壁に
on the wall

547 台所で
in the kitchen

548 テーブルの下
under the table

549 パイプの中
inside a pipe

550 床に敷いているじゅうたん
the rug on the floor

551 美術館で
at an art museum

Round 1	Round 2	Round 3	Round 4	Round 5	Round 6
Start	Review	Review	Review	Review	Review
月　　日	月　　日	月　　日	月　　日	月　　日	月　　日

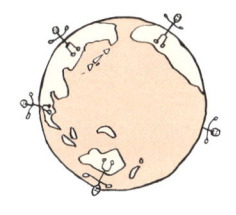

in the shade

throughout the world

▶ in は前置詞で、立体的なものの「内部」に対象が存在すると考えるとよいでしょう。shade は名詞で「陰、日陰」。lie in the shade（日陰で横になる）のように使います。

▶ local は形容詞で「近くの、地元の」。gather in a local park（地元の公園に集まる）のように使います。

▶ on は前置詞で、何らかの平面の上（表面）にあることを示します。wall は名詞で「壁」です。the clock on the wall（壁にかかった時計）のように使います。

▶ kitchen はカタカナで「キッチン」と言われているとおり、「台所」を表します。make breakfast in the kitchen（台所で朝食の支度をする）のように使います。

▶ under は前置詞で「～の下（のほう）に」を意味し、物との間には何らかの空間がある状態です。hide under the table（テーブルの下に隠れる）のように使います。

▶ inside は前置詞で「～の中に、内部に」。囲まれた物の内部を指します。inside a box（箱の中に）や inside the house（家の中に）のように使います。

▶ on 自体に「敷いた」という意味があると覚えるのではなく、あくまで「on は何らかの表面にある」というイメージを大切にして、理解しましょう。

▶ at はある地点をピンポイントで指し示します。at the airport（空港で）のように使い、実際の場所の大小に関係はなく、話し手の「地点を指す」意識で使います。

26 場所の表現

552 レストランの前で
in front of the restaurant

553 一塁と二塁の間で
between first base **and** second base

554 東海岸で
on the **east** coast

555 西側に
on the **west** side

556 デトロイトの北（に）
north of Detroit

557 マイアミの南（に）
south of Miami

558 世界中に
throughout the world

559 はるか遠くに
in the far **distance**

560 反対の方向に
in the **opposite direction**

Round 1	Round 2	Round 3	Round 4	Round 5	Round 6
Start	Review	Review	Review	Review	Review
月　日	月　日	月　日	月　日	月　日	月　日

▸ in front of ～で「～の前に」を意味します。wait in front of the station（駅の前で待つ）のように使います。

▸ between A and B で「A と B の間に」を意味します。明確な物同士の間に何かが存在するときに使います。a shop between the house and the park（家と公園の間にある店）のように使います。

▸ east は名詞で「東」。to the east of the town（町の東に）のように使います。

▸ west は名詞で「西」。on the west side of the river（川の西に）のように使います。

▸ north は名詞で「北」。north of the country（国の北に）のように使います。

▸ south は名詞で「南」。south of downtown（町の南に）のように使います。

▸ throughout は前置詞で「～の至るところに」。throughout a town（町全体に）のように使います。

▸ in the distance で「遠くに」を意味します。遠くのほうを表すので、前置詞 to を使いそうになりますが、in であることをおさえておきましょう。

▸ in the direction of ～で「(～の) 方向に」を意味します。方向と前置詞 to は相性がよいですが、in とセットで使われることに注意しましょう。opposite は形容詞で「反対の」。

verb 20 大切な基本動詞　do

- 儀式ばったことをやめる
  do away with ceremonies

- 宿題をやり直す
  do over *your* homework

- 昼食をなしですます
  do without lunch

verb 21 大切な基本動詞　set

- 基本ルールを設定する
  set out basic rules

- 新しい会社を設立する
  set up a new company

- 朝早くに出発する
  set off early in the morning

verb 22 大切な基本動詞　watch

- 逃げる隙を狙う
  watch for a chance to escape

- 気をつけて！
  Watch out!

- 子どもを見守る
  watch over the children

Round 1	Round 2	Round 3	Round 4	Round 5	Round 6
Start	Review	Review	Review	Review	Review
月　　日	月　　日	月　　日	月　　日	月　　日	月　　日

do → やる

set → うごかす、設置する

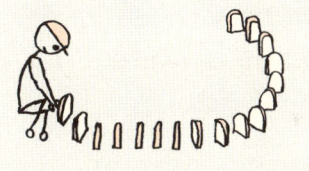

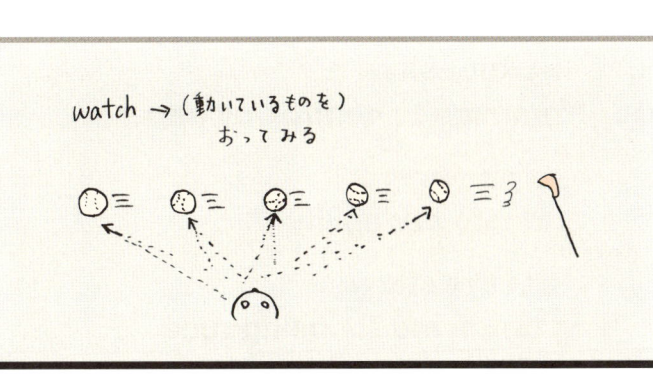

watch → (動いているものを) おってみる

27 意思

英語を使う上で、自分の意思をはっきりと示すことは大切です。自分の気持ちを伝えるために使えるものから覚えていきましょう。

- ☐ swallow *my* pride　　プライドを捨てる
- ☐ chase a dream　　夢を追う
- ☐ refuse to accept　　辞退する
- ☐ agree to disagree　　意見の不一致の合意

swallow は「飲み込む」、refuse は「辞退する」、accept は「受諾する」の意味。

561　完全に確信している
absolutely certain

562　(物・事) が真実であると誓う
swear *it* is true

563　彼女は正直だと思う
assume *she* is honest

564　約束をする
make an appointment

565　何かがおかしいと疑う
suspect that something is wrong

566　何とか怒りを抑制する
manage to control *my* anger

567　彼女の能力を称賛する
admire *her* ability

568　失礼をして申し訳なく思う
pardon *me* for being rude

Round 1	Round 2	Round 3	Round 4	Round 5	Round 6
Start	Review	Review	Review	Review	Review
月　　日	月　　日	月　　日	月　　日	月　　日	月　　日

manage to control my anger

assume she is honest

> certain は形容詞で「確信している」。類義語に sure があります。absolutely は副詞で「完全に」。類義語に completely や greatly などがあります。

> swear は動詞で「～を誓う」。後ろに文（主語＋動詞のかたまり）を続ける場合、swear that ～のように、that を接続詞として用いることがあります。ただ、省略することが可能です。

> assume は動詞で「～と思う、推測する」。後ろに文（主語＋動詞のかたまり）を続ける場合、assume that ～のように、that を接続詞として用いることがあります。ただ、省略することが可能です。

> appointment は名詞で「約束」。カタカナで「アポ（イントメント）」と言われています。約束を「する」という日本語に引っ張られて、do を使わないようにしましょう。

> suspect は動詞で「～ではないかと疑う」。後ろに文（主語＋動詞のかたまり）を続ける場合、suspect that ～のように、that を接続詞として用いることがあります。ただ、省略することが可能です。

> manage to … (＝動詞の原形) で「何とか…する」を意味します。manage to catch the last train（何とか終電に間に合う）のように使います。anger は名詞で「怒り」。

> admire は動詞で「～を称賛する」。admire a painting（絵を褒める）のように使います。admire oneself と「自分自身」を目的語に取ると、「うぬぼれる」という意味になります。類義語に praise があります。

> pardon 人 for …で「(人)が…したことを許す」を意味します。pardon me は直訳で「私を許す」ですが、「私を許してほしい」という意味から、「申し訳なく思う」となります。rude は形容詞で「失礼な」。

28 感情

感情に関する表現は、それらの感情を抱かせる状況をイメージしながら声に出して覚えていくことが大切です。

- ☐ get nervous　　　緊張する
- ☐ lose *my* temper　キレる
- ☐ get stage fright　（人前で）あがる
- ☐ laugh to oneself　思いだし笑いをする

nervous は「神経質な」、temper は「気分、気質」、fright は「恐怖」の意味。

---

569 ヘビを怖がっている
be afraid of snakes

570 罪の意識を持つ
have a guilty conscience

571 愛情のこもった声で話す
speak in a tender voice

572 嫌悪の表情を浮かべて彼を見る
look at *him* with disgust

573 うれしそうに笑う
smile with delight

574 援助に感謝している
be grateful for help

575 （人）に同情する
have sympathy for *someone*

576 まったく後悔をしていない
feel no regrets

Round 1	Round 2	Round 3	Round 4	Round 5	Round 6
Start	Review	Review	Review	Review	Review
月　日	月　日	月　日	月　日	月　日	月　日

I'm fond of her.

a feeling of inward satisfaction

▶ be afraid of ～で「～を怖がっている」を意味します。be afraid of a challenge（挑戦を恐れている）や be afraid of failure（失敗を恐れている）のように使います。

▶ have a conscience で「良心がある」を意味します。have a clean conscience（やましい気持ちはない）のように使います。guilty は形容詞で「有罪の」。

▶ tender は形容詞で「優しい、愛情のこもった」。in a bored voice（退屈そうな声で）や in a calm voice（穏やかな声で）のように使います。

▶ disgust は名詞で「嫌悪」。with happiness（幸福感を抱いて）や with boredom（退屈して）のように、with +感情を表す名詞の形で使います。

▶ delight は名詞で「歓喜」。類義語に pleasure があり、with pleasure という形で使うことができます。

▶ be grateful for ～で「～に感謝している」を意味します。grateful の類義語に thankful があります。be thankful for ～という形で使うことができます。

▶ have sympathy for 人で「(人)に同情する」を意味します。「同情しない、賛同しない」は have no sympathy で表すことができます。

▶ regret は名詞で「後悔」。feel no pleasure（喜びを感じない）や feel no guilt（罪の意識がない）のように、feel no +感情を表す名詞の形で使います。

28 感情

577 歓喜の表情
a look of joy

578 自分の仕事についての心配
anxiety about *my* job

579 彼女の失敗に心を乱す
be upset about *her* failure

580 会話をしたがる
be eager for conversation

581 （人）といると落ち着く
feel at ease with *someone*

582 私は恥ずかしい気持ちになった。
***I* felt ashamed.**

583 私は彼女が好きです。
***I*'m fond of *her*.**

584 子どもの心配をする
worry about *my* children

585 彼女のライフスタイルを羨む
envy *her* lifestyle

586 心中の満足感
a feeling of inward satisfaction

587 非常にみじめである
feel absolutely miserable

Round 1	Round 2	Round 3	Round 4	Round 5	Round 6
Start	Review	Review	Review	Review	Review
月　日	月　日	月　日	月　日	月　日	月　日

- joy は名詞で「喜び、歓喜」。a joyful mood で「うれしそうに」。類義語に happiness や delight があります。

- anxiety は名詞で「心配」。anxiety の形容詞形の be anxious about ～（～を心配する）もよく使います。類義語に worry や anxiousness があります。

- be upset about ～で「～について動揺する」を意味します。upset は動詞で「～の心を乱す」という意味があります。

- be eager for ～で「～を熱望している」を意味します。eager の類義語に enthusiastic があります。「…することを熱望している」と言うときには、be eager to…（＝動詞の原形）を使います。

- feel at ease で「落ち着く」を意味します。類義の表現に feel at home（心休まる）があります。

- ashamed は形容詞で「恥じている」。恥じている内容は of や to …（＝動詞の原形）を続けて表現することができます。

- be fond of ～で「～が好きである」を意味します。be fond of movies（映画が好きである）のように使い、like と類義の表現として使います。

- worry は名詞で「心配」という意味がありますが、動詞で「心配する」という意味もあります。動詞の類義語に care があります。

- envy は動詞で「～を羨む」。類義の表現に envy の形容詞形を使った be envious of ～があります。envious の類義語である jealous を使うこともできます。

- satisfaction は名詞で「満足」。a feeling of anxiety（不安感）や a feeling of boredom（退屈感）のように、a feeling of ＋感情を表す名詞の形で使います。inward は形容詞で「内部の、心中の」。

- miserable は形容詞で「みじめな」。みじめに思うことを述べたいときには、miserable about ～のように、about を使って続けます。

28 感情

588 他の男性に嫉妬している
be jealous of other men

589 彼女の言葉が私を驚かせた。
Her words astonished *me.*

verb 23 大切な基本動詞　come

メッセージが伝わってきた。
The message **came across**.

英語の勉強がとてもうまくいく
come along well with English

嵐の中を安全に通り過ぎる
come through a storm safely

風邪を引く
come down with a cold

また流行り出す
come back into fashion

2枚のコンサートチケットが手に入る
come by two concert tickets

多くの仕事が入ってきた。
Lots of work **came in**.

大阪出身
come from Osaka

Round 1	Round 2	Round 3	Round 4	Round 5	Round 6
Start	Review	Review	Review	Review	Review
月　日	月　日	月　日	月　日	月　日	月　日

▶ be jealous of ～で「～に嫉妬している」を意味します。jealous の類義語に envious があります。

▶ astonish は動詞で「～を驚かせる」。類義語に surprise や astound があります。「驚く」と言いたい場合は、be astonished の形を取ります。

come → くる

□ 明かりが<u>ついた</u>。
The lights came on.

□ 彼の新刊が<u>発刊された</u>。
His new book came out.

□ <u>無駄に終わった</u>。
It came to nothing.

□ 新しい話題が<u>浮かび上がった</u>。
A new topic came up.

□ 戦略を<u>思いつく</u>
come up with a strategy

verb 24 大切な基本動詞　run

- バスを追いかける
  run after a bus

- 車にひかれる
  be run over by a car

- 問題から逃れる
  run away from a problem

- 友だちにばったり会う
  run into a friend

- ガスがなくなる
  run out of gas

verb 25 大切な基本動詞　play

- 芸術家を気取る
  play at being an artist

- 彼女の考えに合わせる
  play along with *her* ideas

- コンピューターをいじる
  play around with a computer

- (人)が録音した歌を再生する
  play back a song *someone* recorded

- 事の成り行きを見守る
  see how things **play out**

Round 1	Round 2	Round 3	Round 4	Round 5	Round 6
Start	Review	Review	Review	Review	Review
月　日	月　日	月　日	月　日	月　日	月　日

run → はしる、にげる

発表の練習をする
run through a presentation

電話代がかさむ
run up a big phone bill

play → する、いじる、演じる

新聞がその出来事について書き立てた。
The newspaper played up the event.

スマートフォンで遊ぶ
play with a smartphone

29 動作・行動

file-54

動作や行動に関する語句は、当然のことながら、動詞を中心としたものとなります。動詞1語で覚えずに、よく一緒に使う語句とあわせておさえましょう。

- pick *my* nose　　鼻をほじる
- blink *my* eyes　　まばたきをする
- rub *my* eyes　　目をこする

blink は「目をしばたたく」、pick には「選ぶ」の他に「ほじる」という意味もあります。

590　飲み物の缶をつぶす
crush a drink can

591　ヘビから逃げる
avoid snakes

592　棒をまとめて縛る
bind sticks together

593　太鼓を叩く
beat a drum

594　野生動物を飼いならす
tame a wild animal

595　柱に激突する
crash into a post

596　彼に来るように身ぶりで示す
motion for *him* to come

597　助言を求めて先生に近寄る
approach a teacher for advice

Round 1	Round 2	Round 3	Round 4	Round 5	Round 6
Start	Review	Review	Review	Review	Review
月 日	月 日	月 日	月 日	月 日	月 日

forbid smoking

roar with laughter

climb up a tower

- crush は動詞で「〜をつぶす」。crush a box（箱をつぶす）のように使います。can は助動詞の can ではなく、名詞の「缶」です。

- avoid は動詞で「〜から逃げる、〜を避ける」。avoid a rush（混雑を避ける）や avoid a trap（わなを回避する）のように使います。

- bind は動詞で「〜を縛る」。bind one's hair（髪を縛る）のように使います。stick は名詞で「棒」。カタカナで「スティック」と言われています。

- beat は動詞で「〜を叩く」。beat a gong（ゴングを鳴らす）のように使います。drum は名詞で、カタカナで「ドラム」と言われているように、「太鼓」を表します。

- tame は動詞で「〜を飼いならす」。tame a tiger（トラを飼いならす）のように使います。wild は形容詞で「野生の」。

- crash into 〜で「〜に衝突する」を意味します。crash into a building（建物に衝突する）のように使います。

- motion は動詞で「身振りで合図する」。for ＋人 to ＋動詞の原形という形を後ろに取って、「(人) に…するように」という意味が続いています。

- approach は動詞で「〜に近づく」。「〜に」という意味ですが、approach to とはなりませんので注意しましょう。

29 動作・行動

file-54

598 邪魔をしてごめんなさい。
Sorry to disturb you.

599 針金をねじる
twist a wire

600 肌をひっかく
scratch your skin

601 床にベンチをねじで留める
screw a bench to the floor

602 セーターを脱ぐ
strip off my sweater

603 クローゼットにかばんを詰め込む
stuff bags in a closet

604 新しい白いシャツをだめにする
ruin a new white shirt

605 彼の肩を軽く叩く
tap him on the shoulder

606 有名人の真似をする
imitate a famous person

607 川で溺れ死ぬ
drown in a river

608 刀を上に振る
swing the sword upwards

Round 1	Round 2	Round 3	Round 4	Round 5	Round 6
Start	Review	Review	Review	Review	Review
月　日	月　日	月　日	月　日	月　日	月　日

> disturb は動詞で「～を邪魔する」。disturb the peace（平和を乱す）のように使います。また、海外のホテルの部屋のドアにかけられる表示には Do Not Disturb（起こさないで）とあります。

> twist は動詞で「～をねじる」。twist a wet towel（濡れたタオルをねじって絞る）のように使います。wire は名詞で「針金」。

> scratch は動詞で「～をひっかく」。scratch one's head（頭をかく）のように使います。skin は名詞で「肌」。

> screw は動詞で「～をねじで留める」。「スクリュードライバー」の「スクリュー」です。screw には名詞で「ねじくぎ」という意味があり、turn a screw to the right（ねじを右に回す）のようにも使います。

> strip off で「～を脱いでいく」を意味します。strip off one's gloves（手袋を脱ぐ）のように使います。

> stuff は動詞で「～を詰め込む、～に詰める」。今回の例は、詰め込む物を場所より先に言っており、stuff a closet with clothes（クローゼットに服を詰め込む）のように、場所を先に言うこともできます。

> ruin は動詞で「～をだめにする」。ruin one's new shoes（新しい靴を台無しにする）のように使います。類義語に spoil があります。

> tap 人 on the 体の部位 で「(人)の～を軽く叩く」を意味します。arm（腕）や back（背中）、head（頭）など様々なものが来ます。

> imitate は動詞で「～の真似をする」。imitate someone's voice（(人)の声色を真似る）のように使います。

> drown は動詞で「溺れ死ぬ」。drown in debt（借金で首が回らない）のように、比喩的な意味でも使います。

> swing は動詞で「～を振る」。カタカナでも「スイングする」と言います。swing a bat（バットを振る）のように使います。upwards は副詞で「上のほうへ」。

29 動作・行動

file-54

609 頬をつねる
pinch *my* cheek

610 （食料品店の）カートを押す
push a grocery cart

611 虫を踏みつぶす
stamp on a bug

612 段階的な変化に気づく
notice a gradual change

613 彼女の魅力にかなわない
cannot resist *her* charms

614 大笑いをする
roar with laughter

615 教育を楽しみと組み合わせる
combine education **with** fun

616 彼に事実を知らせる
inform *him* **of** a fact

617 秘密をささやく
whisper a secret

618 真っ直ぐに進む
go straight ahead

619 箱に詰める
pack a box

Round 1	Round 2	Round 3	Round 4	Round 5	Round 6
Start	Review	Review	Review	Review	Review
月　日	月　日	月　日	月　日	月　日	月　日

> pinch は動詞で「〜を指でつまむ」。cheek が名詞で「頬」という意味ですので、直訳の「頬を指でつまむ」から「つねる」という日本語訳が出てきています。pinch someone's arm（腕をつねる）のように使います。

> push は動詞で「〜を押す」。push a button（ボタンを押す）のように使います。grocery は名詞で「食料雑貨店」。

> stamp on 〜で「〜を踏みつける」を意味します。bug は名詞で「虫」。類義語に insect があります。

> notice は動詞で「〜に気づく」。notice a decrease（減少に気づく）のように使います。gradual は形容詞で「徐々の」を意味します。

> resist は動詞で「〜に抵抗する」。resist the enemy（敵に抵抗する）のように使います。charm は名詞で「魅力」。

> roar は動詞で「大声を上げる」。laughter が名詞で「笑い」。「笑って大声を上げる」という直訳から、「大笑いをする」という日本語訳がきています。

> combine 〜 with … で「〜と…を組み合わせる」を意味します。combine theory with practice（理論を実践と組み合わせる）のように使います。education は名詞で「教育」。fun は名詞で「楽しみ」。

> inform は動詞で「〜に知らせる」。inform 人 of 物・事という形でおさえておきましょう。fact は名詞で「事実」。

> whisper は動詞で「〜をささやく」。whisper a few words（二言三言ささやく）のように使います。

> go straight で「真っ直ぐ進む」を意味します。副詞である ahead（前に）をつけることで、意味を強調しています。

> pack は動詞で「〜に詰め物をする」。pack a lunch（お弁当を詰める）のように、「〜を包む」という意味合いでも使います。

29 動作・行動

620 山を下りる
descend a mountain

621 塔を登る
climb up a tower

622 単純な間違いをする
make a simple **mistake**

623 深くお詫びをする
make a sincere **apology**

624 早退することをお許しください
pardon *me* **for** leaving early

625 冗談を聞いて笑う
laugh at a joke

626 崖から飛び降りる
dive off a cliff

627 指輪を買うように彼を説得する
persuade *him* **to** buy a ring

628 拍手喝采を送る
applaud loudly

629 歌を口笛で吹く
whistle a tune

630 彼女に新しい食べ物を試してみるように勧める
urge *her* **to** try new foods

Round 1	Round 2	Round 3	Round 4	Round 5	Round 6
Start	Review	Review	Review	Review	Review
月　　日	月　　日	月　　日	月　　日	月　　日	月　　日

▶ descend は動詞で「〜を下りる」。descend a hill（坂をくだる）のように使います。反意語は ascend（〜を上がる）や climb（〜を登る）です。

▶ climb up で「〜を登る」を意味します。climb a mountain（登山する）のように使います。反対の意味を表す表現は climb down（降りる）です。

▶ make a mistake で「間違いをする」を意味します。mistake の類義語に error があり、make an error で同じ意味を表すことができます。

▶ make an apology で「お詫びをする」を意味します。この意味で、動詞は make を使うことに気をつけておきましょう。sincere は形容詞で「心からの」という意味です。

▶ pardon は動詞で「〜を許す」。許す内容は、pardon 人 for 物・事 のように、for を伴って表すことが多いです。

▶ laugh at 〜で「〜を笑う」を意味します。笑う対象を表すときに at を使うことに注意しましょう。joke は名詞で、カタカナで「ジョーク」と言うように、「冗談」を意味します。

▶ dive off で「〜から飛び降りる」を意味します。dive off the bridge into the river（橋から川に飛び込む）のように使います。cliff は名詞で「崖」。

▶ persuade は動詞で「〜を説得する」。persuade 人 to …（= 動詞の原形）で「…するように（人）を説得する」を意味します。

▶ applaud は動詞で「拍手する」。applaud a performer（出演者に拍手を送る）のように、拍手を送る相手を後ろに置くこともできます。loudly は副詞で「大声で、騒々しく」。

▶ whistle は動詞で「〜を口笛で吹く」。tune は名詞で「歌、曲」。

▶ urge は persuade と似た用法があります。urge 人 to …（= 動詞の原形）で「…するように（人）を説得する」を意味します。

29 動作・行動

631 男を罵る
shout insults at a man

632 彼を絶望させる
drive *him* to despair

633 彼女は簡単に子どもを楽しませる。
She amuses children easily.

634 許しを請う
beg for forgiveness

635 他の人を怒らせる
offend other people

636 会話に割って入る
interrupt a conversation

637 バカな質問をする
ask stupid questions

638 一片の布を破る
tear a piece of cloth

639 パリに住むことを想像する
imagine living in Paris

640 大通りに沿って歩く
walk along the avenue

641 自分の子どもを自慢する
boast about *my* children

Round 1	Round 2	Round 3	Round 4	Round 5	Round 6
Start	Review	Review	Review	Review	Review
月　　日	月　　日	月　　日	月　　日	月　　日	月　　日

▶ shout は動詞で「〜を叫ぶ」。insult は名詞で「侮辱（的言動）」。shout insults at 人で「(人)を罵る」を意味しますので、このかたまりで覚えるとよいでしょう。

▶ drive は動詞で「〜を運転する」という意味から、「〜を（ある状態に）至らせる」という意味が派生しています。drive someone to tears（人を悲嘆に暮れさせる）のように使います。despair は名詞で「絶望」。

▶ amuse は動詞で「〜を楽しませる」。類義語に entertain や delight があります。「(人)が楽しんでいる」という意味を表したい場合、どの単語も受動態になります。

▶ beg for 〜で「〜を懇願する」を意味します。beg for help（助けを請う）のように使います。forgiveness は名詞で「許し」。

▶ offend は動詞で「〜を怒らせる」。「(人)が怒っている」という意味を表したい場合には、She was offended by his action.（彼女は彼の行動に腹を立てた。）のように、受動態になることに注意してください。

▶ interrupt は動詞で「〜に割り込む、〜を妨げる」。「話の腰を折る」という意味で、break in という表現があります。conversation は名詞で「会話」。

▶ ask a question で「質問をする」を意味します。stupid は形容詞で「バカな」。

▶ tear は名詞で「涙」という意味がありますが、ここでは動詞として「〜を引き裂く」という意味で使っています。cloth は名詞で「布」。数えられない名詞なので、「一切れ」と数えるために、a piece of を使います。

▶ imagine は動詞で「〜を想像する」。「…することを想像する」と言いたい場合は、imagine …ing と、後ろに動詞の ing 形を取ります。

▶ walk along で「〜を沿って歩く」を意味します。walk along the beach（海辺沿いに歩く）のように使います。avenue は名詞で「大通り」。

▶ boast about [of] 〜で「〜を自慢する」を意味します。似た意味を表す表現に be proud of 〜があります。

29 動作・行動

642 喫煙を禁じる
forbid smoking

643 犠牲にする
make sacrifices

644 贈り物を大切にする
treasure a gift

645 鎖で引っ張る
pull with a chain

646 大きな変化をもたらす
make a significant **difference**

647 液体をこぼす
spill liquid

648 勝利を収める
win a **victory**

649 目的を達成する
achieve *my* aim

650 負けを認める
admit defeat

651 警告を大声で発する
shout a **warning**

652 子どもたちを危険から守る
shield kids **from** danger

Round 1	Round 2	Round 3	Round 4	Round 5	Round 6
Start	Review	Review	Review	Review	Review
月　　日	月　　日	月　　日	月　　日	月　　日	月　　日

▶ forbid は動詞で「〜を禁ずる」。「…することを禁ずる」と言いたい場合は、forbid …ing と、後ろに動詞の ing 形を取ります。類義語に ban や prohibit があります。

▶ make sacrifices で「犠牲を払う」を意味します。make large sacrifices(大きな犠牲を払う)や make costly sacrifices(高い犠牲を払う)のように、sacrifices の前に形容詞を伴って使うことがあります。

▶ treasure は名詞で「宝物」という意味があることから、動詞で「〜を大切にする」という意味もあります。treasure a relationship(関係を大切にする)のように使います。

▶ pull は動詞で「〜を引く」。「手で引っ張る」と言いたい場合は、pull with one's hand と表します。反意語は push(〜を押す)です。

▶ make a difference で「違いを生む、変化をもたらす」を意味します。significant は形容詞で「重大な、意義のある」。類義語に important があります。

▶ spill は動詞で「〜をこぼす」。spill water on the table(テーブルに水をこぼす)のように使います。liquid は名詞で「液体」。「固体」は solid です。

▶ win は動詞で「〜を勝ち取る」。win a gold medal(金メダルを勝ち取る)のように使います。また、「〜に勝つ」という意味で、win a game(ゲームに勝つ)のようにも使います。victory は名詞で「勝利」。

▶ achieve は動詞で「〜を達成する」。類義語には reach や accomplish、obtain があります。aim は名詞で「目的、目標」。類義語には goal や end、objective があります。

▶ admit は動詞で「〜を認める」。defeat は名詞で「負け、敗北」。反意語は victory(勝利)です。

▶ warning は名詞で「警告、警報」。a flood warning(洪水警報)のように使います。shout は動詞で「〜を叫ぶ」。

▶ shield は動詞で「〜を保護する」。カタカナで「シールド」と言いますが、名詞で「盾」という意味があります。類義語に protect があります。

30 性格・態度

性格や態度を表す語句には、プラスの意味を表すものも、マイナスの意味を表すものもあります。後者の表現を使用する際には場面に注意しましょう。

- ☐ act big　　　　　　　　偉そうな態度をとる
- ☐ attention seeker　　　　目立ちたがり屋
- ☐ He is a good / poor writer.　彼は文章が上手い / 下手だ。

attention は「注意、注目」、poor は「貧しい、下手な」の意味。

---

653 謙虚な笑顔で
with a humble smile

654 彼はあまり利口ではない。
***He*'s not very bright.**

655 能力に自信がある
have confidence in *my* ability

656 彼女はとても賢い。
***She*'s very clever.**

657 身の程をわきまえろ。
Don't tempt fate.

658 強欲になるな。
Don't be greedy.

659 正直に答える
give an honest answer

660 意地悪な笑み
a wicked grin

Round 1	Round 2	Round 3	Round 4	Round 5	Round 6
Start	Review	Review	Review	Review	Review
月　　日	月　　日	月　　日	月　　日	月　　日	月　　日

be vain about my appearance

take pride in my work

- humble は形容詞で「謙虚な」。反意語は proud（高慢な）や overbearing（横柄な）です。

- bright は形容詞で「利口な」。類義語に clever や smart があります。反意語は stupid（頭の悪い）や foolish（愚かな）です。

- have confidence in ～で「～に自信がある」を意味します。形容詞 confident を使って、be confident in［of］～でも同じ意味の表現となります。

- clever は形容詞で「賢い、利口な」。類義語に wise があります。

- tempt fate で「身の程をわきまえない」を意味します。tempt は動詞で「～を誘惑する」。fate は名詞で「運命」。直訳で「運命を惑わされる」ことから「身の程をわきまえない」という日本語訳が出てきています。

- greedy は形容詞で「欲深い」。類義語に avid や grasping があります。

- honest は形容詞で「正直な」。類義語に trustworthy があります。反意語は dishonest（不正直な）です。

- wicked は形容詞で「意地悪な」。類義語に evil があります。

30 性格・態度

file-55

661 暴力的な囚人
a **violent** prisoner

662 自分の容姿にうぬぼれている
be vain about *my* **appearance**

663 多くの欠点をもっている
have many **faults**

664 社交礼儀について学ぶ
learn **social graces**

665 高い品性をもつ
have high **moral standards**

666 不機嫌である、短気である
have a **bad temper**

667 評判がよい
have a **good reputation**

668 素晴らしい美徳をもつ男性
a man of great **virtue**

669 自分の仕事に誇りをもつ
take pride in *my* **work**

670 手本となる研究者
a **model** researcher

671 真面目な表情をする
wear a **solemn** expression

Round 1	Round 2	Round 3	Round 4	Round 5	Round 6
Start	Review	Review	Review	Review	Review
月　　日	月　　日	月　　日	月　　日	月　　日	月　　日

> violent は形容詞で「暴力的な」。violent deeds（暴行）のように使います。名詞形は violence（暴力、暴行、激しさ）です。prisoner は名詞で「囚人」。同じ名詞の prison（刑務所）から派生しています。

> be vain about ～で「～にうぬぼれている」を意味します。類義語に conceited があります。反意語は modest（謙虚な）です。

> fault は名詞で「欠点、短所」。類義語に flaw や defect、weakness があります。「欠点がある」と言いたい場合は、have a fault で、動詞と合わせて覚えておきましょう。反意語は strength（長所）があります。

> social graces で「社交礼儀」を意味します。social は形容詞で「社会の」。grace は名詞で「優美、上品」「たしなみ」。

> moral standards で「品性、道徳的基準」を意味します。moral は形容詞で「道徳の、道徳的な」。standard は名詞で「基準」。

> temper は名詞で「気分」。反対の意味を表す表現は good temper（よい機嫌）です。その形容詞は be bad-tempered と表します。反対の意味を表す形容詞は be good-tempered です。

> reputation は名詞で「評判」。反対の意味を表す表現は bad reputation（悪い評判）です。「評判を得る」と言いたい場合は、gain a reputation のように、gain を使います。

> virtue は名詞で「美徳」。類義語に goodness があります。反意語は vice（悪徳）です。a man of 名詞 の形で「～の人」を意味します。

> take pride in ～で「～に誇りをもつ」を意味します。pride は名詞で「誇り」。前に出てきた have confidence in ～と同じ意味の表現です。

> model は名詞で「手本」という意味がありますが、形容詞で「模範となる」という意味があります。類義語に exemplary があります。

> solemn は形容詞で「真面目な」。類義語に serious があります。wear a(n) ～ expression で「～な表情をする」を意味します。動詞は wear を使うことに注意しておきましょう。

30 性格・態度

file-55

672 ものすごく勇気がある
have immense courage

673 私をイライラさせる
drive *me* mad

674 礼儀正しく、行儀のよい子ども
polite well-behaved children

675 大きな望みを持って、よく働いている
be ambitious and hard-working

676 自分の能力に対して謙虚である
be modest about *my* skills

677 彼女に泣かれて困った。
Her crying annoyed *us*.

678 他人を意識している
be conscious of others

679 多くの点で似ている
be alike in many ways

Round 1	Round 2	Round 3	Round 4	Round 5	Round 6
Start	Review	Review	Review	Review	Review
月　日	月　日	月　日	月　日	月　日	月　日

▶ courage は名詞で「勇気」。類義語に bravery があります。immense は形容詞で「多大の」。

▶ mad は形容詞で「気が狂った」。類義語に crazy があります。drive 人＋状態という形で「(人) を (状態) に追いやる」を意味します。

▶ polite は形容詞で「礼儀正しい」。反意語は impolite（失礼な）や rude です。well-behaved は形容詞で「行儀のよい」。well が「よく」、behave が「ふるまう」というそれぞれの意味を知っておくとよいです。

▶ ambitious は形容詞で「大望のある」。hard-working は形容詞で「よく働く (勉強する)、勤勉な」。hard-working の類義語に diligent や industrious があります。

▶ be modest about ～で「～に対して謙虚である」を意味します。

▶ annoy は動詞で「～をいらいらさせる、悩ませる」。類義語に irritate や bother があります。

▶ be conscious of ～で「～を意識している」を意味します。反意語は unconscious（意識していない）です。

▶ alike は形容詞で「似ている」。反意語は unlike（似ていない）です。

31 人生

ここでは、「生」や「死」に関する表現など人生を振り返るときに使いたくなるものが含まれています。

- ☐ grow up to be a man [woman]　成人する
- ☐ marry for love　　　　　　　　恋愛結婚する
- ☐ get pregnant　　　　　　　　　妊娠する
- ☐ have a baby　　　　　　　　　出産する
- ☐ pass away　　　　　　　　　　亡くなる

「死」は、欧米でも、pass away のように婉曲表現が好まれます。

680　**出生証明書**
a birth certificate

681　**生きていて、元気である**
be alive and well

682　**それぞれ離れて住む**
live apart from each other

683　**彼女と喧嘩する**
quarrel with her

684　**子どもを甘やかす**
spoil a child

685　**自分のことを誇りに思う**
be proud of myself

686　**よい知らせを喜ぶ**
rejoice at good news

687　**財政問題を乗り越える**
overcome financial problems

Round 1	Round 2	Round 3	Round 4	Round 5	Round 6
Start	Review	Review	Review	Review	Review
月　　日	月　　日	月　　日	月　　日	月　　日	月　　日

a birth certificate

rejoice at good news

▶ birth は名詞で「出生、誕生」。birthday（誕生日）の birth です。
certificate は名詞で「証明書」。a health certificate（健康診断書）のように使います。

▶ alive は形容詞で「生きている」。反意語は dead（死んでいる）です。
well は副詞で「よく」「上手に」という意味がありますが、形容詞で「元気な、健康な」という意味もあります。

▶ live apart from 〜で「〜と別れて住む」を意味します。apart は副詞で「ばらばらに」。each other で「お互い」を意味します。

▶ quarrel with 人で「(人)と喧嘩する」を意味します。殴り合いをする喧嘩だけではなく、口論や言い争いも含まれます。

▶ spoil は動詞で「〜を甘やかす」「〜を台なしにする」。spoil a day（一日を台なしにする）のように使います。

▶ be proud of 〜で「〜を誇りに思う」を意味します。似た意味を表す表現に take pride in 〜があります。

▶ rejoice は動詞で「喜ぶ」。喜ぶ原因は at で示します。似た意味を表す表現に be glad や be pleased があります。

▶ overcome は動詞で「〜を克服する」。overcome a challenge（試練を乗り越える）のように使います。「克服する」という意味を表す表現に get over があります。

31 人生

688 将来の栄光を夢見る
dreams of future glory

689 初老の未亡人
an elderly widow

690 急に年をとる
age rapidly

691 会社を辞める
retire from *my* company

692 葬式に参列する
attend a funeral

693 墓地に埋葬する
bury in a grave

694 安心感と幸福感を得る
feel relief and happiness

Round 1	Round 2	Round 3	Round 4	Round 5	Round 6
Start	Review	Review	Review	Review	Review
月　　日	月　　日	月　　日	月　　日	月　　日	月　　日

▸ dream は名詞で「夢」という意味が有名ですが、dream of ～（～を夢見る）のように動詞として使うことがあります。glory は名詞で「栄光」。

▸ widow は名詞で「未亡人」。男性形は widower です。elderly は形容詞で「初老の、年配の」。類義語に old や aged があります。

▸ age は名詞で「年齢」という意味があり、動詞では「年をとる」という意味です。rapidly は副詞で「急に」。

▸ retire from ～で「～を辞める、退職する」を意味します。類義語に resign があります。

▸ funeral は名詞で「葬式、告別式」。「葬儀屋」は funeral company、「霊柩車」は funeral car と言います。

▸ bury は動詞で「～を埋葬する、埋める」。単語の発音に注意してください。grave は名詞で「墓穴」。類義語に tomb があります。

▸ relief は名詞で「安心」。happiness は名詞で「幸福」。

32 家族・友人

家族や友人に関する表現を紹介しますが、家族について英語で言うことができても、親せきについて英語で言うのは難しいのではないでしょうか？

- ☐ husband / wife　　　　　　　　　　夫 / 妻
- ☐ brother-in-law / sister-in-law　　義理の兄弟 / 義理の姉妹
- ☐ father-in-law / mother-in-law　　義理の父 / 義理の母
- ☐ nephew / niece　　　　　　　　　　おい / めい
- ☐ a close friend / a good friend / my best friend　親友

---

695 親に頼る
depend on *my* parents

696 家族をがっかりさせる
disappoint *my* family

697 彼の姉
***his* elder sister**

698 友人関係を深める
cultivate friendly relationships

699 親愛なるおばとおじ
my dear aunt and uncle

700 彼のいとこであるマリア
***his* cousin Maria**

701 姪と甥
niece and nephew

702 寛大な義理の両親
generous in-laws

Round 1	Round 2	Round 3	Round 4	Round 5	Round 6
Start	Review	Review	Review	Review	Review
月　　日	月　　日	月　　日	月　　日	月　　日	月　　日

YAHoooo!!
cultivate friendly relationships

nephew and niece

- depend on ~で「~に頼る」を意味します。似た意味の表現に count on ~があります。

- disappoint は動詞で「~をがっかりさせる」。「~にがっかりする」と言いたい場合は、be disappointed at ~という受動態の形をとります。

- elder は形容詞で「年上の、年長の」。類義語に older や big があります。

- cultivate は動詞で「~を耕す」という意味から「~を育む」という意味まであります。friendly は形容詞で「友情のある」。ly で終わりますが、形容詞として使われます。relationship は名詞で「関係」。

- aunt は名詞で「おば」。uncle は名詞で「おじ」。

- cousin は名詞で「いとこ」。「実のいとこ」のことは a first cousin と言います。

- niece は名詞で「姪」。nephew は名詞で「甥」。

- in-laws は名詞で「義理の両親」。in-law は名詞で「姻戚」を表し、father-in-law（義父）のように使われます。

verb 26 大切な基本動詞　talk

file-58

- 彼に口答えする
  talk back to *him*

- 彼に同意するよう説得する
  talk *him* **into** agreeing

- 彼女にやめないよう説得する
  talk *her* **out of** quitting

- 問題について話し合う
  talk over a problem

verb 27 大切な基本動詞　turn

file-59

- （人）に反抗する
  turn against *someone*

- 背ける
  turn away

- 招待を断る
  turn down an invitation

- 結果的にうまくいく
  turn out well

- 明かりを消す
  turn off the light

- エアコンのスイッチを入れる
  turn on the air conditioner

talk → はなす

スケジュールについて徹底的に話し合う
talk the schedule **through**

turn → まわす、まわる

責任を委ねる
turn over responsibilities

友だちに助けを請う
turn to a friend for help

音量を上げる
turn up the volume

33 定型表現

決まり文句ですから、使う場面をイメージしながら、そのまま覚えてしまいましょう。会話でもよく使います。

- ☐ Keep off the grass.　　　芝生に入るな。
- ☐ Let's go Dutch.　　　　割り勘にしよう。
- ☐ between you and me　　ここだけの話ですが
- ☐ to be honest with you　　はっきり言って
- ☐ She is out of my league.　彼女は高嶺の花だ。
- ☐ Open 24 hours a day　　24時間営業

---

703 もう少しゆっくり話してください。

Please speak more slowly.

704 そのスペルは何ですか。

How do you spell it?

705 account はどういう意味ですか。

What does *account* mean?

706 もう一度言っていただけませんか。

Could you say that again?

707 トイレはどこですか。

Where's the restroom?

708 今日は何日ですか。

What's today's date?

709 ちょっと聞いてよ！

Guess what!

710 言い換えると

in other words

Round 1	Round 2	Round 3	Round 4	Round 5	Round 6
Start	Review	Review	Review	Review	Review
月　　日	月　　日	月　　日	月　　日	月　　日	月　　日

Where's the restroom?　　　Keep out

▶ Please …. で「…してください」という意味です。丁寧にお願いをするときは、Could [Would] you …? を使います。また、slowly の代わりに、clearly（はっきりと）や loudly（大きな声で）を使ってもよいでしょう。

▶ 単語の綴りを尋ねるときの表現です。it の部分に具体的な単語を入れてもよいです。「どのように綴るか」を尋ねるため、冒頭は How（どのように）で始めることをおさえておきましょう。spell は動詞で「～を綴る」。

▶ 単語の意味を尋ねるときの表現です。mean は動詞で「～を意味する」。「account は何を意味しますか」が直訳ですので、冒頭には What（何）を使います。なお、account は名詞で「記述」など様々な意味があります。

▶ 前に言ったことを繰り返し言ってもらう表現です。「言う」は動詞 say を使います。Could you repeat that? というように、動詞 repeat（～を繰り返す）を使って、別の表現でお願いすることも可能です。

▶ Where（どこ）を使った、場所を尋ねる表現です。Where's (=Where is) the ～? というフレーズで使えるようにしておきましょう。

▶ date（日付）を尋ねる表現です。What's the date today? や What date is it today? という表現を使用することも可能です。

▶ guess は動詞で「～を推測する」。直訳で「何なのかを推測してよ」ですが、人の注意を引きつけるときに使用する表現です。

▶ other は形容詞で「他の」。word は名詞で「言葉」。直訳すると「他の言葉を使って」となります。同じ意味の表現として、that is (to say) や briefly などがあります。

33 定型表現

711 例えば
for example

712 一般的に
by and large

713 お大事に。
Bless you.

714 そのことはごめんなさい。
Sorry about that.

715 ちょっと待ってください。
Just a moment, please.

716 くつろいでください。
Make yourself comfortable.

717 私のおごりです。
My treat.

718 残念。
What a pity.

719 残念。
What a shame.

720 どうしたの。
What's the matter?

721 気にしないで。
Never mind.

Round **1**	Round **2**	Round **3**	Round **4**	Round **5**	Round **6**
Start	Review	Review	Review	Review	Review
月　　日	月　　日	月　　日	月　　日	月　　日	月　　日

▶ example は名詞で「例」。for instance という表現も同じ意味を表します。

▶ 帆船用語で by は「逆風の」を、large は「順風の」を表し、「逆風でも順風でもどちらにせよ」というところから、「一般的に」という意味が出てきています。同じ意味を表す generally や typically をおさえておきましょう。

▶ bless は動詞で「～に神の加護を祈る」。この表現は「あなたにご加護がありますように」という意味で、くしゃみをした人に向けて言います。くしゃみをすると、肉体から魂が抜けてしまうという迷信があるためです。

▶ I'm が省略された形です。about の後に申し訳なく思っていることが来ます。例えば、「先ほどはごめんなさい」という場合には、Sorry about earlier. と表します。earlier は early（早く）の比較級です。

▶ moment は名詞で「瞬間」。Just は強調で「ほんの少しの瞬間だけ」待つように、お願いする表現です。moment の代わりに、minute を使用してもよいです。また、同じ意味の表現に、Wait a minute. があります。

▶ make 人＋形容詞（人を～にする）という形で、ここでは「あなた自身を心地よい状態にする」が直訳です。comfortable は形容詞で「心地よくさせる、快適な」。make yourself at home という表現も同じ意味を表します。

▶ 前に This is を置いて使うこともあります。同じ意味の表現に、This is on me. や Be my guest. などがあります。

▶ pity は名詞で「残念なこと」。What a (an) 名詞で名詞の部分を強調する言い方があります。That's a pity. という表現でも同じ意味を表すことができます。

shame は名詞で「残念なこと、恥ずかしさ」。That's a shame. という表現でも同じ意味を表すことができます。

▶ matter は名詞で「問題」という意味の他に、「物質、事柄」など様々な意味があります。同じ意味の表現に、What's wrong? や What's happening?、What's up? などがあります。

▶ Don't mind. と言い換えられます。「ドンマイ」は和製英語。本来は、Never mind! や Don't let it bother you. と表すことができます。mind は動詞で「～を嫌だと思う」。I don't mind は OK の意味を表します。

33 定型表現

file-60

722 もし構わなければ
if you don't mind

723 …してくださいませんか
Would you mind

724 あなた次第です。
It's up to you.

725 重要ではない。
It doesn't matter.

726 あなた自身のために
for *your* own sake

727 立ち入り禁止
Keep out

728 立ち入り禁止
No entry

729 真っ黒な
as black as coal

730 ぺちゃんこな
as flat as a pancake

731 とても滑らかな
as smooth as silk

732 もっと先
farther ahead

Round 1	Round 2	Round 3	Round 4	Round 5	Round 6
Start	Review	Review	Review	Review	Review
月　日	月　日	月　日	月　日	月　日	月　日

▶ 何かをお願いするときに前置きとして使われる表現です。例えば、If you don't mind, could you wait for a moment?（もし構わなければ、少々お待ちいただけませんか。）のように使われます。

▶ would you …? は「…していただけませんか」という意味です。直訳すると、「〜することを嫌に思いますか」となりますが、意訳をして、相手に何かを依頼するときに使われる表現だとおさえておきましょう。

▶ up to 〜に「〜次第である」という意味があります。同じ意味の depend on 〜を使って、It depends on you. と表すこともできます。

▶ matter には名詞の他に、動詞で「重要である」という意味があります。後ろに if [whether] 節を取ることが多いです。

▶ for one's own sake で「自分自身のために」を意味します。sake が名詞で「目的」という意味があり、「自分自身の目的のために」というのが直訳です。

▶ keep out は「〜を外に出したままにしておく」という意味の表現です。そこから「立ち入り禁止」という意味になります。建物や私有地などにある掲示板でよく見られる表現です。

▶ entry は名詞で「入ること、入場」。Keep out と同じ意味の表現で、他には No admittance. や No trespassing. という表現があります。

▶ as 〜 as …で「…と同じくらい〜」を意味します。直訳で「石炭と同じくらい黒い」というところから、「真っ黒な」という意味となります。比喩表現を使って強調をしています。

▶ flat は形容詞で「平らな」。直訳で「パンケーキと同じくらい平らな」というところから、「ぺちゃんこな」という意味となります。

▶ smooth は形容詞で「滑らかな」。直訳で「絹と同じくらい滑らかな」というところから、「とても滑らかな」という意味となります。

▶ farther は副詞で「もっと遠くに」。ahead は副詞で「前方に」。反意語は behind（うしろに）です。

34 いろいろな名詞

日常会話に普通に出てくる名詞から、比喩的に使われる名詞も紹介します。名詞は覚えていればいるほど、コミュニケーションはしやすくなります。

- ☐ cutting board　　　　　　　　　　まな板
- ☐ outlet　　　　　　　　　　　　　コンセント
- ☐ ballpoint pen　　　　　　　　　　ボールペン
- ☐ garbage can（米）/ dustbin（英）　ゴミ箱
- ☐ zip code（米）/ postal code（英）　郵便番号

733　伝統的な習慣
a traditional custom

734　愉快な仲間
a pleasant companion

735　勇敢な試み
a brave attempt

736　地図上の点
a dot on a map

737　他に悪影響を及ぼすもの
a rotten apple

738　妙な匂い
a peculiar smell

739　粘土のかたまり
a lump of clay

740　ゴムでできたボール
a ball made of rubber

Round 1	Round 2	Round 3	Round 4	Round 5	Round 6
Start	Review	Review	Review	Review	Review
月　　日	月　　日	月　　日	月　　日	月　　日	月　　日

a brave attempt　　　a traditional custom

> custom は名詞で「習慣、ならわし」。類義語に habit があります。cultural custom（文化的習慣）のように使います。traditional は形容詞で「伝統的な」。名詞 tradition（伝統）の形容詞形です。

> companion は名詞で「仲間」。close companion（親しい仲間）のように使います。pleasant は形容詞で「愉快な、楽しい」。反意語は unpleasant（不愉快な）です。

> attempt は名詞で「試み」。類義語に effort や endeavor があります。また、動詞で「〜を試みる」という意味もあります。brave は形容詞で「勇敢な」。類義語に courageous があります。

> dot は名詞で「点」。ピリオドや小数点を表すときにも使います。put a red dot on the sheet（紙に赤い点を打つ）のように使います。

> rotten は形容詞で「腐った」。直訳で「腐ったリンゴ」ですが、リンゴは腐りやすく、まわりのリンゴに悪影響を及ぼすことから、このような意味になりました。rotten の代わりに、bad が使われることもあります。

> peculiar は形容詞で「独特の」。類義語に strange や odd があります。smell は名詞で「におい」。「悪臭」の意味で使うことが多いです。類義語に scent（かすかなにおい）や fragrance（よい香り）があります。

> lump は名詞で「かたまり」。a [two, three …] lump(s) of 〜のように、かたまりのものを数えるときに使える表現です。clay は名詞で「粘土」。

> rubber は名詞で「ゴム」。rubber balloon（ゴム風船）や rubber gloves（ゴム手袋）のように使います。made of 〜は「〜で作られた」を意味します。

34 いろいろな名詞

741 漁網
a fishing net

742 頑丈な城
a strong castle

743 難聴者
the deaf

744 議論の間の一瞬の沈黙
a pause in a discussion

745 公務
public affairs

746 音楽評論家
a music critic

747 一家の厄介者
the black sheep of the family

748 学校で最も怠けている生徒
the laziest student in school

749 並外れた才能
an extraordinary talent

450 悪魔の邪悪な行い
the demon's evil deeds

751 魂の奥底で
deep in *my* soul

Round 1	Round 2	Round 3	Round 4	Round 5	Round 6
Start	Review	Review	Review	Review	Review
月　日	月　日	月　日	月　日	月　日	月　日

▸ fishing は名詞で「魚釣り」。仕事でも趣味でも使う単語です。net は名詞で、カタカナで「ネット」と言われているように、「網」を表します。

▸ castle は名詞で「城」。restore a castle（城を修復する）や ruins of a castle（城跡）のように使います。

▸ deaf は形容詞で「耳が聞こえない、耳が遠い」を意味しますが、the deaf の形を取って、複数扱いで「難聴者」を表します。

▸ pause は名詞で「中断、休止」。カタカナで「ポーズ」と言われる単語です。pause button（停止ボタン）のように使います。

▸ public は形容詞で「公共の、公的な」。反意語は private（民営の、個人的な）です。affair は名詞で「業務」。類義語に business があります。

▸ critic は名詞で「評論家」。動詞 criticize（〜を批評する）の名詞形です。economic critic（経済評論家）や art critic（美術評論家）のように使います。

▸ black sheep の直訳は「黒いヒツジ」ですが、一家（白いヒツジ）の中で、他とは異なり、1 人だけ劣っているものを指しています。

▸ laziest はもとの形が lazy です。lazy は形容詞で「怠けている」。この単語が「最も〜」を表す最上級の形になって laziest となっています。the laziest animal（最も怠けている動物）のように使います。

▸ extraordinary は形容詞で「並外れた」。extra（外れた）+ordinary（普通の）という単語のつくりから意味がわかるでしょう。talent は名詞で、「タレント」とカタカナで使いますが、もともとは「才能」という意味です。

▸ demon は名詞で「悪魔」。evil は形容詞で「悪い、邪悪な」。deed は名詞で「行い」。「立派な行為」と言いたい場合は、good deed と表すことができます。

▸ soul は名詞で「魂」。faithful soul（信仰深い精神）や gentle soul（寛容な人）のように、「魂」以外の意味で使われることもあります。deep（深い）は、「魂の中の奥深くにある」ことを強調しています。

著者紹介

James M. Vardaman　ジェームス・M・バーダマン

1947年、アメリカ、テネシー生まれ。ハワイ大学アジア研究専攻、修士。早稲田大学文化構想学部教授。著書に『毎日の英文法 頭の中に「英語のパターン」をつくる』（小社）、『アメリカの小学生が学ぶ歴史教科書』（ジャパンブック）、『アメリカ南部』（講談社）、『黒人差別とアメリカ公民権運動』（集英社新書）、『もう一つのアメリカ史』（東京書籍）など多数ある。

渡邉 淳　わたなべ・あつし　［訳・語句説明］

1984年、千葉県富津市生まれ。東京外国語大学外国語学部ポルトガル語学科卒業。Z会、ディスカヴァー・トゥエンティワンを経て、現在、編集者・講師として活動中。TOEIC 990点取得。

毎日の英単語
日常頻出語の90%をマスターする

2013年 9 月30日　第 1 刷発行
2017年 2 月20日　第 14 刷発行

著者　James M.Vardaman　渡邉 淳
装丁・ブックデザイン　寄藤文平＋杉山健太郎(文平銀座)
発行者　友澤和子
発行所　朝日新聞出版
　　　　〒104-8011　東京都中央区築地5-3-2
電話　　03-5541-8814(編集)
　　　　03-5540-7793(販売)
印刷所　大日本印刷株式会社
©2013 James M. Vardaman, Watanabe Atsushi
Published in Japan by Asahi Shimbun Publications Inc.
ISBN 978-4-02-331211-1
定価はカバーに表示してあります。
本書掲載の文章・図版の無断複製・転載を禁じます。
落丁・乱丁の場合は弊社業務部(電話03-5540-7800)へご連絡ください。
送料弊社負担にてお取り替えいたします。